これって非弁提携?

改訂版
弁護士のための非弁対策Q&A

深澤諭史—著

第一法規

改訂版　はしがき

　本書の初版刊行から、3年近くが経過しました。

　当初は、弁護士法それも非弁行為に関する書籍ということで、どの程度のニーズがあるのか不安もありました。ですが幸いにも、著者の想像をはるかに超える数の方々の手にとっていただくことができました。

　初版刊行以来、非弁・非弁提携の問題については、社会の耳目を集める事件も発生し、各弁護士会も研修や対策を強化するなど様々な動きがありました。また、他士業法の改正の動きもあり、司法書士法1条は司法書士を「法律事務の専門家」と定めるに至りました。

　加えて、リーガルテック等、法律事務ひいては弁護士法に密接に関わる事業も多数登場しています。非弁行為に関する規制の重要性と注目度は、日に日に大きくなっています。

　期せずして初版刊行以来の3年間は、これまでになく非弁規制について注目が集まったのではないかと思います。そしておそらくは、これからの3年間、あるいはその先も、ますます注目を集めることになるのではないかと思います。

　初版刊行以来、読者の皆様から、弁護士以外の方々も含め多くの感想を頂戴しました。本書は主な対象を弁護士としていますが、一方で、取引先・提携先の弁護士を非弁提携の状態にするわけにはいかない、ということで弁護士以外の方からの非弁規制に関する解説の需要の大きさも痛感した次第です。

　そこで、改訂に当たっては、以上の社会情勢、法改正を踏まえました。また、引用文献を最新のものとしましたが、弁護士法の解説として最重要の文献の1つである日本弁護士連合会調査室編著『条解弁護士法』が、12年ぶりに改訂となりましたので、それも反映しました。

　加えて解説も全体的に見直し、わかりやすさを重視して説明を多数補っています。いわゆる事件性必要説と不要説の問題についても、近時の裁判例の趨勢や立法が前提とする見解は後者で固まりつつありますので、その点もなるべくわかりやすく解説を加えました。

(1)

さらに昨今は、リーガルテックをはじめ、他士業共同というだけではなく、弁護士と株式会社が法律に関係する事業を共同で行うなど、弁護士法の関係する新しい事業が続々と登場しています。このような事業は、弁護士と株式会社の強みを相互に補強するものであり、まさに社会に法の支配を行き渡らせる有意義なものではありますが、同時に非弁提携の問題も避けて通ることはできません。

　初版の刊行を契機に、弁護士法に関する相談を多数受けることになりましたが、弁護士や法律に関連する業態において弁護士法との抵触は常に問題となります。

　すべてを網羅することはもちろんできませんし、これからも新しい業態が登場することが予想されます。

　そういった中で、特に疑問が多く寄せられたもの、重要なもの、そして類似のものに解説・理解の応用が利くであろう業態については、個別の解説と今後の展望についての記述を加えました。

　本書は、当初は弁護士を対象に、市民そして弁護士自身を非弁や非弁提携から守ることを主目的としていました。改訂に当たり、本書の目的は弁護士と株式会社、他士業との健全な協働の実現というところにまで広がったと思います。

　本書が、非弁の被害防止のみならず、弁護士の活動領域の拡大、そして健全な法の支配の実現の一助になれば、著者としてこれに勝る喜びはありません。

　最後になりますが、本書の刊行に当たっては、宗正人様、菅野公平様をはじめとする第一法規株式会社の皆様には多大なる尽力を頂戴しました。また、SNSを通じたものも含め、多くの弁護士、あるいは他士業の方々からもご意見やご要望も頂戴しました。このご協力・ご意見がなければ、改訂版の内容を充実させることは難しかったかと思います。ここに記して感謝申し上げる次第です。

令和 2 年11月

弁護士　深澤　諭史

初版　はしがき

　本書は、弁護士にとって最も重要な法律の１つである弁護士法72条、27条を中心に、それに関係する関係各法規・規程について、Ｑ＆Ａ形式でその基本から応用、さらに今日の実情も踏まえた最新の議論を解説したものです。

　弁護士であれば、非弁（行為）や非弁提携といった言葉を一度は聞いたことがあると思います。

　また、最近は弁護士会の広報のおかげか、あるいは非弁業者の暗躍の結果か、一般市民の方にも非弁の概念が知られるようになってきました。

　いうまでもなく、弁護士もまた国家資格の１つである以上、名称と業務の独占はその資格の意義の中核をなすものです。

　また、弁護士には広範な業務独占（弁護士法72条）のみならず高度の自治も保障されており、さらに国家との関係のみならず依頼者との関係ですら独立を重んじるべき（弁護士職務基本規程２条、20条）とされています。

　非弁規制の目的については、詳しくは本書内でも解説していますが、それは依頼者の利益の保護、法秩序の維持にあります。弁護士にとって、依頼者の利益を擁護し実現すること、法秩序の維持発展はその任務（弁護士法１条）ですから、まさに非弁規制は弁護士が弁護士であることの根幹をなすものであるともいえます。

　さらに、最近はインターネットを活用した非弁業者が急増するほか、一般市民の方のみならず弁護士ですらも巧妙に騙して食い物にする新型非弁提携の問題なども新たに発生しています。

　また、社会の複雑化や多様化、そして法律問題の高度の専門化に伴い、弁護士と他士業との連携の必要性は度々主張されてきたところです。ですが、これにあたっては非弁提携規制の問題を避けて通ることはできません。その他に、広告と非弁提携の峻別、ファクタリングやリーガルテックの問題など、新しい問題も起きつつあります。

　このように、非弁規制は伝統的には弁護士制度の根幹をなすものですが、

今日的にも新しい問題が次々と発生している分野でもあります。

　ところで、これまで非弁規制については、弁護士倫理のごく一部として、あるいは業際問題として取り扱われることがほとんどであり、非弁規制の実務上の問題を専門に取り扱った実用書というのはなかなか見当たらなかったように思われます。

　本書は、古い・新しい非弁問題の双方を、これまでの議論や裁判例を通じてわかりやすく解説するとともに、日々生起する非弁問題について適切に対応できるようにすることを目的としたものです。

　本書では、相手方に非弁業者が登場した場合の対処方法、非弁業者の被害に遭ってしまった一般市民の方からの相談への対応、さらに非弁提携業者の「手口」についても解説しています。これらはほとんど類書のないところであり、すべての弁護士にとって有益な解説になると自負しております。

　また、本書は基本的に弁護士を対象としていますが、業際問題や広告問題と深く関わるため、他士業の方、あるいは弁護士向け広告事業を営む方にとってもきっと参考になるものと考えております。

　なお、著者は、第二東京弁護士会の非弁護士取締委員会等に所属しておりますが、本書において意見に渡る部分はいずれも著者個人の見解となります。

　本書を作成するにあたり、村木大介氏、三ツ矢沙織氏をはじめとする第一法規株式会社の皆様には多大なご尽力を頂戴しました。この場を借りて御礼申し上げます。

　本書により、非弁業者の被害に遭う一般市民の方、あるいは非弁提携の罠に嵌まる弁護士が1人でも減れば、著者にとってこれに勝る喜びはありません。

平成29年11月

弁護士　深澤　諭史

| 目次 | これって非弁提携？ | 改訂版 | 弁護士のための非弁対策Q&A |

改訂版　はしがき

初版　はしがき

第1　非弁行為・非弁提携の一般論

1　はじめに－弁護士法と非弁の基本…………………………… 2

(1)　弁護士と弁護士法の関係－

　　弁護士法は弁護士と非弁護士に何を命じているか………………… 2

(2)　非弁・非弁行為・非弁提携とは何か－

　　弁護士法と弁護士職務基本規程は、どのように定めているか…… 4

(3)　非弁行為・非弁提携が禁じられている理由は何か……………… 7

2　近年増加しているケース「新型非弁」に注意………………… 12

(1)　教科書に載るような古典的な手口の非弁提携のケースは、

　　もはや過去のもの………………………………………………… 12

(2)　市民だけではなく、弁護士も非弁提携の被害者になり、

　　大きな「損害」を被ることになる ……………………………… 15

(3)　弁護士業務広告と非弁提携の問題－

　　違うけれども切っても切れないこの2つの問題 ………………… 20

第2　他士業との境界線と非弁行為に対する対処方法

1　弁護士による業務独占と他士業との関係－

**　それぞれ法は何を定めているか**…………………………………… 26

(5)

目次

(1) 弁護士法72条違反の要件と効果は何か……………………………26

(2) 弁護士法72条の最大論点 –

「事件性」の論点と解釈と裁判例について ……………………34

(3) 弁護士法72条の「別段の定め」としての他士業の法律………41

(4) 弁護士が他士業の職域に注意するべき理由は何か –

縄張りの問題だけではなく、依頼者の問題でもある……………43

(5) 司法書士と本人訴訟支援の問題 –

何をどこまですることができるのか……………………………45

2　他士業と一緒に仕事をするときの注意点 ………………51

(1) 他士業連携の重要性 –

法律上できることと実際にできることは違う……………………51

(2) 弁護士法27条の非弁提携規制より、弁護士職務基本規程11条の

非弁提携規制の方がはるかに厳しい ……………………………53

(3) 協業と報酬分配規制 – 適正な共同受任の方法と留意点…………60

(4) 司法書士との協業……………………………………………………66

(5) 税理士との協業………………………………………………………69

(6) その他士業との協業…………………………………………………75

3　非弁業者／他士業との業際問題への正しい対処方法…………79

(1) はじめに………………………………………………………………79

(2) 相手方に非弁業者が登場した場合の対応について………………85

(3) 行政書士との関係……………………………………………………90

4　非弁リスクのある企業との付き合い方の注意点………………97

第3　事務職員との境界線

1　事務職員へ依頼してよいこと、だめなこと………………106

(1)　事務職員と法律事務所 ……………………………………………… 106
　(2)　問題になる各場面について ………………………………………… 111
　(3)　外国弁護士と外国法事務弁護士の問題 ………………………… 120

2　事務職員が勝手に非弁行為をしてしまった場合の対応 …… 128
　(1)　想定される場面と予防方法 ……………………………………… 128
　(2)　説明の仕方 ………………………………………………………… 132

第4　具体的問題例

1　個人からの相談 …………………………………………………… 136
　(1)　はじめに－非弁対応の法的基礎 ………………………………… 136
　(2)　非弁業者に依頼してしまったという相談 ……………………… 140
　(3)　非弁業者から非弁行為の該当性等を争われたら ……………… 145
　(4)　「非弁業者から書類が届いた」という相談 …………………… 151
　(5)　法律に詳しい親族・知人が協力をしてくれて… ……………… 154
　(6)　ボランティアで相談を受けたいという相談 …………………… 157
　(7)　家賃管理会社が大家の実質的代理人として登場したら ……… 161

2　企業からの相談 …………………………………………………… 170
　(1)　はじめに－大企業も知らない非弁規制と一般論 …………… 170
　(2)　会社法務部の従業員と非弁行為 ………………………………… 172
　(3)　損害保険会社の「示談代行」と非弁行為 …………………… 173
　(4)　顧客「の」トラブルで非弁になる場合、ならない場合 ……… 176
　(5)　「コンサルティング」に要注意 ………………………………… 179
　(6)　グループ企業と非弁規制 ………………………………………… 182
　(7)　債権ファクタリングについて …………………………………… 184
　(8)　リーガルテックについて ………………………………………… 190
　(9)　有償で法律情報を提供するウェブサイトと非弁規制 ………… 203

目次

(10) 保証契約が非弁になるリスクについて……………………… 209

3　自治体からの相談 ………………………………………… 221
(1) 自治体も非弁規制とは無縁ではない ………………………… 221
(2) 「無料相談会」を他士業等に依頼する際の問題………………… 223
(3) 自治体のインハウス弁護士が市民に法律相談をしてもよいのか‥ 225

4　他士業からの相談 ………………………………………… 229
(1) 司法書士・行政書士の書類作成の意義 ……………………… 229
(2) 「非弁になる部分は無料で」の注意点 ………………………… 231
(3) 理解を得るために必要なこと ………………………………… 232
(4) 司法書士の本人訴訟支援 ……………………………………… 235

5　違反を見つけた場合の対応例 …………………………… 242
(1) 無効主張の検討………………………………………………… 242
(2) 自分が非弁業者と関係を持ってしまった場合の対処方法 ……… 247
(3) 弁護士会への情報提供 ………………………………………… 249

6　弁護士会の「負担金」と弁護士法72条の問題……………… 251

第5　おわりに

1　いまだに非弁行為・非弁提携が横行する理由……………… 258
2　非弁行為・非弁提携と弁護士………………………………… 261

著者プロフィール

> ※判例の書誌事項の表示について
> 　判例の出典の表示は一般の慣用に従った。

判例には、原則として判例情報データベース「D1-Law.com 判例体系」
(https://www.d1-law.com) の検索項目となる判例IDを〔　〕で記載
した。

　例：最二小判平成 7・7・7 民集49巻 7 号1870頁〔27827504〕

第1

非弁行為・非弁提携の一般論

はじめに－弁護士法と非弁の基本

(1) 弁護士と弁護士法の関係－弁護士法は弁護士と非弁護士に何を命じているか

Q1 弁護士の使命、資格、弁護士自治と弁護士の規律、弁護士について定めた基本法として「弁護士法」がありますが、同法において、弁護士でないとできない業務というのは、どのように定められているのでしょうか。

A1 弁護士法72条が、弁護士の業務独占として、業としてする報酬目的での法律事務（この範囲については争いがありますので、第2－1(1)Q13等で解説します）の取扱いとその周旋を定めています。また、同法74条は、弁護士の名称独占を定めています。ただし、同法72条ただし書により、弁護士でなくても同条本文に定める業務が取り扱える場合もあります。

解説

I　国家資格の名称独占と業務独占

ほとんどの国家資格においては、業法として、その資格について、使命や資格の付与、規律、そして名称と業務の独占を定めた法律があります（ただし、例えば中小企業診断士など、名称独占のみが認められ、業務独占は認められていない資格もあります）。

Ⅱ　弁護士の名称独占と業務独占

　弁護士については、業法として弁護士法が定められており、同法72条が業務の独占を、同法74条が名称の独占を定めています。要するに、弁護士でなければ弁護士と名乗れず、また、弁護士業務を行うこともできないということになります。

　同法72条の趣旨については、判例は「これ（著者注：非弁行為）を放置するときは、当事者その他の関係人らの利益をそこね、法律生活の公正かつ円滑ないとなみを妨げ、ひいては法律秩序を害することになるので、同条は、かかる行為を禁圧するために設けられたものと考えられるのである」（最大判昭和46・7・14刑集25巻5号690頁〔24005136〕）と判示しています。

　なお、詳しくは後で扱いますが（第2-1(1)Q13）、弁護士でないと行えない業務、すなわち、同法72条本文に定められた「法律事務」の意義についてはたびたび裁判等で争われており、解釈について複数の見解が存在する部分です。

　加えて、同条ただし書は、「ただし、この法律又は他の法律に別段の定めがある場合は、この限りでない」として例外を予定しています。

　この例外について、具体的には、司法書士法や税理士法、債権管理回収業に関する特別措置法などが、「他の法律」に当たります（なお、現在、弁護士法本体に、同法72条の例外の定めはありません）。この点も、他士業との関係でしばしば解釈上の争いが生じる分野です（第2-1(3)Q20）。

　なお、同法72条本文は、弁護士の独占業務として法律事務の「取扱い」のみならず「周旋」も認めていますが、弁護士職務基本規程12条は報酬の分配を、同規程13条は紹介料の授受を禁じているため、弁護士といえども法律事務の周旋業を営むことは禁じられていることになります。

●法律事務の周旋業に関する規制

	弁護士法	弁護士職務基本規程
弁護士	許可	禁止
非弁護士	禁止	適用なし

第1　非弁行為・非弁提携の一般論

(2) 非弁・非弁行為・非弁提携とは何か－
　　弁護士法と弁護士職務基本規程は、どのように定めているか

Q2　弁護士会の「非弁護士取締委員会」であるとか、「非弁行為」「非弁提携」と、いろいろな用語がありますが、そもそも「非弁」とはどのような意味でしょうか。これは、法律上の用語なのでしょうか。

Q3　「非弁行為」とは、具体的にどのような行為をいうのでしょうか。法律上の根拠はどこにあるのでしょうか。

Q4　「非弁提携」とは、どのような行為をいうのでしょうか。法律上の根拠はどこにあるのでしょうか。また、「非弁行為」との違いはあるのでしょうか。

▼

A2　「非弁」とは、言葉の意味としては、単に「弁護士でないこと」、すなわち「非弁護士」を略した用語にすぎず、法律上の用語ではありません。

　　ただし、実際に「非弁」という言葉が使われるときは、「非弁護士行為（非弁行為）」や「非弁提携」であることを指す意味、すなわち違法行為を指す意味で用いられることがほとんどです。

A3　「非弁行為」とは、弁護士でない者、すなわち非弁護士が、業として報酬目的で、法律事務を取り扱うことをいいます。なお、「非弁護士行為」の略でもあります。

　　弁護士法72条本文は、このような行為を罰則付（同法77条3号）で禁じています。

4

1　はじめに－弁護士法と非弁の基本

　要するに、弁護士業務を無資格で行うことであるといえます。ただし、法律事務の範囲や、いわゆる「事件性の要件」の要否など、解釈には争いがあるところです。

　なお、同法72条は、非弁護士による法律事務の取扱いのみならず、この周旋をも禁じており、この周旋行為や、あるいは「弁護士」の肩書を無資格で使用する行為（同法74条1項）も、広義には非弁行為ということがあります。

A4　「非弁提携」とは、言葉としては単に「弁護士が、弁護士でない者と提携をすること」という程度の意味です。

　ただし、実際には、そのような意味で使われることはほとんどありません。「非弁提携」といった場合は「弁護士が、非弁護士と『許されない』提携をすること」をいうことがほとんどです。

　『許されない』提携とは、具体的には、弁護士法72条に違反する者、すなわち非弁護士行為をする者から、事件の周旋を受けたり、これらの者に名義を貸したりすることをいいます。同法27条のほか、弁護士職務基本規程11条～13条がこれを規制しています。

　「非弁行為」との相違は、「非弁行為」が「非弁護士が弁護士業務を行うこと」をいう一方で、「非弁提携」は、「弁護士が、非弁護士と許されない提携を行うこと」をいう点にあります。要するに、違反の主体が異なり、「非弁行為」は非弁護士が主体である一方で、「非弁提携」は弁護士が主体であるということになります。

第1　非弁行為・非弁提携の一般論

解説

Ⅰ　弁護士法72条が規制する行為は、法律事務の取扱いと周旋

　弁護士について、業法として弁護士法が定められており、そこで弁護士の名称独占、業務独占が定められています（第1-1⑴Q1）。

　非弁（行為・提携）とは、このような弁護士の名称独占、業務独占に反する行為や、その行為に弁護士が関与することをいいます。これ自体は、法律上の用語ではありませんが、弁護士法27条の見出しは「（非弁護士との提携の禁止）」であり、同法72条の見出しは「（非弁護士の法律事務の取扱い等の禁止）」となっています。

　弁護士でないとできない行為（業務独占）について、同法72条本文は「弁護士又は弁護士法人でない者は、報酬を得る目的で訴訟事件、非訟事件及び審査請求、再調査の請求、再審査請求等行政庁に対する不服申立事件その他一般の法律事件に関して鑑定、代理、仲裁若しくは和解その他の法律事務を取り扱い、又はこれらの周旋をすることを業とすることができない」と定めています。

　この「法律事務」の範囲や「周旋」の意義については、様々な見解、裁判例があり、裁判でも争われるケースが散見され、非弁規制の中でも最重要の論点となっています（第2-1⑴Q13）。

Ⅱ　弁護士法27条と非弁提携規制

　弁護士は、弁護士法27条により、非弁提携、すなわち非弁護士行為をする者から事件の周旋を受けたり、名義を貸したりすることを禁じられています（同法27条の詳細については第2-2⑵Q26参照）。

　このように、非弁護士については、法律事務の取扱いと周旋が、弁護士については、そのような行為をする非弁護士から周旋を受けたり、名義を貸したりすることが禁じられています。

6

1　はじめに－弁護士法と非弁の基本

Ⅲ　非弁行為、非弁提携規制の構造

　要するに、非弁護士については、法律事務の取扱いをすること（非弁行為）を規制する一方で、弁護士についても、そのような者との提携（非弁提携）を規制することで、弁護士・非弁護士への規制の両面から、適正な法律事務の取扱いを担保しているということができます。

　弁護士法27条の定めを、より具体的かつ広範に定めたのが弁護士職務基本規程11条～13条になります。この定めは、同法27条より広範な規制というだけではなく、他の弁護士職務基本規程の定めと比較しても、非常に広範かつ厳格で、弁護士としては注意が必要な定めです（詳しくは第2－2(2)Q26）。

(3)　非弁行為・非弁提携が禁じられている理由は何か

> **Q5**　弁護士以外の者の、報酬目的でする法律事務の取扱いが、非弁行為として禁じられていることはわかりましたが、そもそも、なぜ禁じられているのでしょうか。適正に法律事務を取り扱うことができるのであれば、非弁護士による取扱いを認めてもよいのではないでしょうか。

▼

> **A5**　非弁行為を禁じた弁護士法72条の趣旨は、能力的担保のない、あるいは厳重な監督に服さない非弁護士に対して法律事務の取扱いを認めると、依頼者の利益のみならず、関係者や健全な法秩序そのものが害される危険があり、そのような弊害を防止することにあります。

7

解説

I 弁護士法72条が法律事務の取扱いを制限している趣旨について

　弁護士法72条の趣旨については、第1-1⑴Q1で述べたとおりですが、ここでのポイントは、非弁護士による法律事務の取扱いを認めると、依頼者のみならず、関係者（典型的には相手方が想定できるでしょう）の利益を害し、法律秩序を混乱させるというところにあります。その意味で、同法72条は、利用者の個人的利益や弁護士の職域だけを守るのではなくて、広く市民社会の利益を守る規制であるということができます。

　例えば、いわゆる過払金返還請求訴訟において、地方裁判所の訴訟代理人の資格のない司法書士が、原告本人は出廷させたうえ、司法書士自ら提出書面を作成するなど実質的に訴訟追行を行っていた事例で、これを同法72条、民事訴訟法54条1項に反するとして訴えが却下された事例があります（富山地判平成25・9・10判時2206号111頁〔28220548〕）。

　この事件は、弁護士法72条のみならず民事訴訟法54条1項を根拠にしているので、純粋に弁護士法72条についてのみ判断した事例ではありませんが、原告の追認行為もいずれも無効として訴えが却下されています。

　この事件では、「原告は、……繰り返し、本件訴えの提起を含む原告の一切の訴訟行為を追認する旨の意思表示をした」と判断されており、原告には司法書士に依頼をする意思がはっきりあったことが認定されています。

　加えて、過払金返還請求訴訟においては、過払金債権の消滅時効が争点となることが多く、本件では明らかではありませんが、訴訟が却下された場合、再び訴訟を提起しても、時効中断の効果は再度の訴え提起時に生じますので、消滅時効が援用されるリスクを負担することになります。

　同法72条の趣旨を、依頼者の権利利益の保護のみと考えるのであれば、そのような非弁行為をした者に不法行為責任を負担させ、あるいは処罰するのみで十分ということになりますが、結果として、本件のように依頼者の不利益になるような結論が導かれるのは、同法が依頼者のみならず、法律秩序全般をも保護する趣旨であることにほかならないと考えられます（もっとも、

同判決は、「民事訴訟法54条1項本文は、いわゆる弁護士代理の原則を規定し……その趣旨は、訴訟の技術性・専門性を重視し、訴訟の効率的運営のために訴訟代理人を弁護士の有資格者に限定するとともに、いわゆる事件屋などの介入を排除するという公益的目的を図ることにある」として、専ら民事訴訟法54条1項を根拠にしているので、直接に弁護士法72条の公益的目的を根拠に訴えを却下したものではありません）。

Q6 非弁提携が禁じられているのはなぜでしょうか。例えば、営業が得意な者が弁護士に事件を持ち込んで弁護士が紹介料を支払えば、お互いにwin-winの関係になるのではないですか。また、弁護士の監督下で法律事務を事務職員から顧客に提供させることができれば、安価で簡易・迅速な法律サービスを実現することができるのではないでしょうか。

▼

A6 弁護士法72条の趣旨を骨抜きにしてしまうことから禁じられています。同条は、能力的担保がなく厳重な監督に服さない非弁護士の法律事務の取扱いを禁止していますが、非弁提携を許すと、提携弁護士を隠れ蓑にして、非弁護士が、実質的に法律事務を取り扱うことを認めてしまうことになるからです。

解説

Ⅰ 弁護士にも「非弁提携」が禁じられている理由

　次に非弁提携についてですが、非弁提携を許すと、弁護士法72条の規制を骨抜きにしてしまうことからこれは許されません。同法72条の規制趣旨を全うするために、弁護士の非弁提携を禁じた同法27条は、同法72条と表裏の関

係にあるといえます。

なお、裁判例の中には、同条の趣旨として「弁護士法27条は、弁護士が非弁行為者と結託して行う名義貸しが、直接又は間接に非弁行為を助長することから、それを禁止する趣旨で特別に処罰規定を設けていると解される」（大阪地判平成19・2・7判タ1266号331頁〔28135116〕）と判示したものがありますが、前記と同旨であると考えられます。

Ⅱ　他士業連携と「非弁提携」

一方で、弁護士が非弁護士（主に他士業）と何らかの「連携」を行うことには、相当の合理性、必要性がある場合もあります。これらを一律に禁圧することは、過度の規制であるとも考えられるでしょう。

弁護士が法律事務全般について広範に取り扱い、そして原則として独占が認められているとはいえ、現実問題としてあらゆる法律に精通しているというわけではありません。厳格な資格要件が定められているといっても、特別法を含め、およそあらゆる分野の法律に精通しているということまでは担保されていません。

また、Ｍ＆Ａなど企業再編の案件や、法的な側面のみならず、ビジネスの観点から契約書その他の法的文書をレビューすることが求められる案件が増えています。これらについて、もちろん精通している弁護士も少なくないでしょうが、その各分野の専門家と同等以上の能力を有していることについても、制度的な担保があるわけではありません。

以上のような事情に鑑みれば、弁護士が非弁護士と共同して依頼を受任して処理をすることは、弁護士にとっても利用者にとっても、非常にメリットがあると思われます。

しかしながら、一方で、弁護士の名義を用いたり、あるいは弁護士と共同をしたりすることで、非弁護士が法律事務の取扱いをすることになると、前記の不都合は同様に生じることになります。

この点について、弁護士法27条は「弁護士は、第72条乃至第74条の規定（著者注：非弁規制）に違反する者から事件の周旋を受け、又はこれらの者

に自己の名義を利用させてはならない」と定め、また、同様の観点から、弁護士職務基本規程11条はこれを大きく広げて、非弁の疑いのある者の利用行為の禁止を、同規程12条は非弁護士との報酬分配の禁止を、同規程13条は紹介料の授受の禁止を定めています。

　ですから、少なくとも何らかの「コンサルティング」名目で、実質的に法律事務の提供を行う者と提携し、共同して受任案件を処理する行為をした場合には、弁護士は、弁護士法27条や弁護士職務基本規程11条～13条の責任に問われる可能性があるでしょう。

　一方、弁護士が非弁護士と共同して案件を処理する場合においても、非弁護士が法律事務を取り扱わず、かつ、その弁護士が取り扱った法律事務の報酬対価を収受せず、そして、それが客観的に担保されているのであれば、弁護士法27条や弁護士職務基本規程11条～13条の問題は生じないと考えられます。

Ⅲ　他士業連携における「正当な理由」（弁護士職務基本規程12条）

　弁護士職務基本規程12条は、「正当な理由がある場合は」分配を可としており、その意義については、日本弁護士連合会弁護士倫理委員会の解説でも「禁止の対象から除外されるもののうち、正当な理由がある場合としては……隣接専門職との協働によるワンストップ・サービスの提供の場合においても、分配について正当な理由があるとされることがあり得る。後者については、合理的な分配基準が工夫されなければならない」（日本弁護士連合会弁護士倫理委員会編著『解説弁護士職務基本規程〈第3版〉』（2017年）28～29頁）とされています。

　隣接士業等の連携と非弁提携の問題や「合理的な分配基準」の「工夫」については、第2−2⑶Q29で取り扱います。

第1　非弁行為・非弁提携の一般論

 近年増加しているケース「新型非弁」に注意

(1) 教科書に載るような古典的な手口の非弁提携のケースは、もはや過去のもの

Q7　非弁提携については、法科大学院や司法研修所、そして弁護士会の倫理研修などでも学びましたが、月額いくらで名義を貸す、一定割合の紹介料等を分配するという手口が多いのでしょうか。

Q8　新型非弁提携とは、どのような手口を指すのでしょうか。

Q9　なぜ、新型非弁提携が増えたのでしょうか。

A7　いいえ。そのような手口は最近では珍しいものとなりました。新型非弁提携といわれるような、巧妙で複雑な手口が多用されています。

A8　新型非弁提携は、直接、報酬分配や紹介料を推認させるような契約はせず、広告料、営業コンサルティング、事務職員の派遣、事務所のサブリースなど、非常に多くの契約を締結して、「実質的な非弁提携すなわち報酬分配等を実現する」という手法で行われる非弁提携をいいます。

A9　非弁提携の摘発が増えるに伴い、新型非弁提携ならば見つかりにくく、摘発を免れられるためであると思われます。また、

後述（第1-2(2)Q10）するように、弁護士自身を「これは非弁提携ではない」と納得させる、あるいは、弁護士自身をも食い物にするためであるとも考えられます。多くの契約を締結し、かつ、直接非弁提携であることを示唆するような契約書を作成しないことで、発覚を免れつつ、それにより実態をわかりにくくして弁護士を欺罔し、あるいは逃げられないように拘束することが目的であると思われます。

解説

Ⅰ　非弁提携に関する「常識」と「現実」

　非弁提携について、全くこれを知らない、禁止されていることを理解していない弁護士はおよそいないと思われます。法科大学院では法曹倫理は必修科目になっていますし、司法研修所や弁護士会の研修でもこれらを学ぶ機会はあるからです。

　ただし、そういった場所で学ぶ非弁提携は、どちらかというと、過去によくあった典型的なもの、つまりQ7で指摘したようなケースがほとんどのようです（最近は改善も進んでいるようであり、例えば、著者の所属する第二東京弁護士会の新規登録弁護士研修や倫理研修においては、新型非弁提携の問題について、最新の動向を踏まえた解説をしています）。

　非弁提携については、伝統的、典型的な手口、すなわち、紹介料を払うとか、一定割合で山分けであるとか、そのようなケースが全くなくなったというわけではありませんが、一時期と比べると相当まれになっているというのが現状です。

Ⅱ　新型非弁提携というトレンド

　一方で、最近増えているのが、「新型非弁提携」といわれる形態です。

　この新型非弁提携（この言い方は、誰が始めたのかはわかりませんが、旧来の手口との対比でこのような用語が一般に用いられています）の手口は

様々な組合せがあり、一概に説明することはできません。

　ただし、新型非弁提携の典型的な手口、特徴を列挙すると、以下のような点に集約をすることができると思われます。

---

①　紹介料や、報酬分配を直接約束するような契約書を作成しない。また、そのような合意もしない。

②　1つではなくて、多数の、様々な内容の契約を一度に締結する。その中には、広告契約、事務職員の派遣契約、コンサルティング契約、事務所のサブリース契約など、単独でみれば非弁提携でなくても締結するような契約も含まれる。

③　明確な契約はされないが、非弁提携業者が弁護士への経済的支援を約束し、実際に資金を与えることもある。

　まず、①についてですが、新型非弁提携の摘発が困難なのは、まさにこの点にあります。通常、非弁提携の問題というのは、非弁提携という禁じられた行為があり、それを行っているかどうかという点に尽きます。

　しかしながら、直接、非弁提携に当たる行為を約束した事実がなければ、非弁提携の成否は「総合判断」「実質判断」ということにより、認定には相当な困難を伴うことになります。

　また、これについては後に解説します（第1－2(2)Q10、Q11）が、新型非弁の特徴として、弁護士すら非弁提携であるとよく理解することができずに引きずり込まれてしまう、また、弁護士自身も食い物にされてしまうという点があります。

　すなわち、紹介料であるか報酬分配であるかは、名目ではなくて実質で判断されるのですが、少なくとも直接的な約束がないことで「誤解」して「安心」してしまい、引きずり込まれるということになります。

　次に②についてですが、非弁提携業者の目的は、非弁提携そのものではなくて、それにより依頼者や弁護士を食い物にして、不当な利得を得ることにあります。これについても後に解説します（第1－2(2)Q10）が、非弁提携業者は依頼者に対して不適切処理や預り金の流用・横領、そして、弁護士に

対しては、前述した様々な契約に定められた、（しばしば高額な）費用の請求をすることで、不当な利得を得ようとします。

　これらの契約は、単に数が多いこと、単独では不適切であることがわからないこと、そして何より、弁護士の不安な気持ちに乗じている（第1-2(2)Q10）ことから、本当のリスクに気がつくことはなく、弁護士が締結に応じてしまうケースがままみられます。

　③についてですが、これも後に解説するとおり（第1-2(2)Q10）、困窮している弁護士をターゲットにし、弁護士に契約、すなわち提携を決断させる餌として提案されるものです。

　事務所の収支にかかわらず、非弁提携業者が金銭を支給することには、一見、経済的合理性がないようにも思われます。

　しかし、②の契約の中で割増しされた経費の中から支給されているのが実態であり、単に非弁提携業者からの借金にすぎません。

　このような新型非弁提携の手口が増えてきたのは、弁護士業界が依然として厳しい状況にあること、すなわち弁護士の名前、判子だけで食べていける時代ではなくなったので、依頼者だけではなくて弁護士も食い物にする必要が出てきたこと、明白な非弁提携については、現在は抵抗を示す弁護士がほとんどであろうことが大きく影響していると考えられます。

(2)　市民だけではなく、弁護士も非弁提携の被害者になり、大きな「損害」を被ることになる

Q10　第1-2(1)Q9で、弁護士も非弁提携の「被害者」になるとのことですが、具体的にはどのような損害を被ることになるのでしょうか。

▼

第1　非弁行為・非弁提携の一般論

A10　弁護士法27条違反として刑事罰の対象となるほか、非行として懲戒処分の対象になり、加えて、非弁提携業者に対する莫大な債務を負担させられたり、依頼者に対する賠償債務を弁済する義務を課せられたりすることになります。

解説

Ⅰ　新型非弁提携の「制裁」と「被害」

　非弁提携はそもそも犯罪です（これにより不利益を受けるといって、これを「被害」ということが適切であるかどうかは別の問題です）。

　弁護士法27条は「弁護士は、第72条乃至第74条の規定に違反する者から事件の周旋を受け、又はこれらの者に自己の名義を利用させてはならない」と定めています。この違反については、同法77条1号により罰則が定められており、「2年以下の懲役又は300万円以下の罰金に処する」（同条柱書）とされています。

　懲役刑に処されると、弁護士としての欠格事由（同法7条1号）ですから、執行猶予が付されていても、この違反により弁護士資格を失うこともあり得ます。執行猶予期間が経過すれば法律上は再登録ができますが、弁護士会にこれを認めてもらうことは非常に難しいでしょう。

　また、弁護士は、「この法律又は所属弁護士会若しくは日本弁護士連合会の会則に違反し……たときは、懲戒を受ける」（同法56条1項）と定められているところ、非弁提携は弁護士法に違反する行為であるとともに（同法27条）、弁護士会の会則である弁護士職務基本規程11条〜13条にも違反する行為です。

　非弁提携の禁止は、非弁護士の法律事務取扱規制と表裏の関係（第1−1（3）Q6）であり、弁護士にとっての弁護士法72条は、法律事務の取扱いについて原則として独占を認めたもので極めて重要な定めです。各弁護士会は、非弁提携の規制に関する違反は弁護士の非行としては特に重要なものである

16

と考えているようであり、懲戒処分は業務停止以上になる例が多いようです。こういう表現が適切かどうかという問題はありますが、比較すると横領より重い非行であるともいえます。

Ⅱ　新型非弁提携の「被害」は処罰・処分にとどまらない

　弁護士にとっての不利益は、以上のものにとどまりません。かつて、非弁提携といえば、いわゆる悪徳弁護士が悪徳業者と手を組んで、一般市民を食い物にするという実態がありました。現在でもそのようなケースがないわけではありませんが、このような手口はいわば旧来の典型的な非弁提携であり、現在はさほど多くありません（第1-2(1)Q7）。

　昨今の新型非弁提携を行う非弁提携業者は、市民のみならず、最終的に弁護士すらも食い物にして使い捨てにすることを目的にしています。非弁提携業者は、提携弁護士の名義で、不適切な広告、事件の受任と処理、報酬の請求をすることが往々にあり、それにより依頼者に損害が生じた場合は提携弁護士がその責任を負うことになります。

　また、新型非弁提携においては、非弁提携業者が法律事務所全体を支配し、あるいは会計を行っている事案も多いのですが、このような場合、依頼者からの預り金の横領、経費への流用などがしばしば行われており、これらについても弁護士がその責任を問われることになります。

　さらに、非弁提携業者は、勧誘の際に「先生の取り分として月額〇〇万円は保障します」などといって「保障給」を提案することがしばしばあります。実際には、この金銭は、提携弁護士との間で大量に締結した契約書の費用の中に少しずつ盛り込まれており、その実質は非弁提携業者からの借金であるにすぎません。

　非弁提携業者との間で締結した数々の契約に基づく債務は、当初は請求こそされませんが、実際に債務として発生しており、いずれは負担をすることになります。最終的には、それが提携弁護士を縛る鎖となり、時限爆弾となります。その結果、破産まで追い込まれるということもあり得ます。

　非弁提携弁護士の末路は破滅しかなく、「今だけだから大丈夫」といった

第1　非弁行為・非弁提携の一般論

考えは通用しないと考えることが重要です。

　非弁提携業者は最終的に提携弁護士を「切る」ことになりますが、その際は、コンサルティング料や広告料などの経費が未払である、自分は被害者であると主張することが通常です（このあたりのカラクリについては、後述する「本当に怖い非弁提携」二弁フロンティア167号（2017年）でも解説しています）。

Q11　あまり自分が勧誘に引っかかるという気がしないのですが、気をつけておくべきこと、心がけるべきことはありますか。

▼

A11　冷静に考えればおかしな話ですが、非弁提携業者は、独立直後の弁護士、それも「困っていそうな弁護士」を狙い撃ちにして言葉巧みに勧誘をします。弁護士といえども、意外に自分のことについては脇が甘いこともあり、加えて、非弁提携規制は他の業界ではあまり類をみない、独特で厳しい規制ですので、気がつかないうちに引っかけられてしまうことはあり得ます。

解説

I　新型非弁提携の勧誘は巧妙

　非弁提携の勧誘は極めて巧妙です。

　ただし、誰彼構わず勧誘しているというのではなくて、ほとんどの場合は、即独・早独（早期独立）の弁護士をターゲットにして勧誘をしています。

　彼らがどうやってそのような弁護士を選び、見つけるかについてですが、弁護士については、日弁連のウェブサイトから登録情報を誰でも調べることができます。また、会員限定のサービスですが、全弁護士の名簿をダウン

18

ロードすることも可能です。

そのようなデータがあれば、「登録してからさほど経っていない弁護士しかいない法律事務所（＝即独・早独の法律事務所）」を見つけることはそれほど難しくありません。

昨今、弁護士の激増と事件数の激減とで、弁護士業界の状況は、厳しいものがあります。特に、東京都内においては、国選弁護や弁護士会の法律相談の割当ても少なく、即独・早独の弁護士が法律事務所を維持することは決して容易なことではありません。

非弁提携業者も、そのような「窮地」を知っているわけで、そこにつけ込もうとして、集中的に即独・早独の弁護士を勧誘するわけです。

このようなものに引っかけられない、あるいは、対応をして無駄な時間を浪費しないコツとしてまず挙げられるのが、独立をしたらすぐに大量の勧誘が来るであろうことに留意をすることです。

Ⅱ　勧誘の言葉と真相

具体的な勧誘手口ですが、次のような言葉を使うことが多いようです。

自分自身が仕事を依頼するという話ではなくて、「依頼がきたら困りますか？」とか「紹介をしたい」「手伝ってほしい」「提携（！？）したい」という言葉で勧誘してきます。また、最近は、「引退する弁護士がいるので、後を継いでほしい」など、いかにも「美味しそう」で心を揺さぶられそうな話を持ちかけてくる例もあります。

そもそも、弁護士の助力を必要としている者がいるのであれば、その人と直接コンタクトをとるのが原則です。弁護士として、事件処理を適正に行い、依頼者の権利利益を実現し、あるいは満足してもらうには、事情を正確に把握すること、依頼者の希望をよく理解することが基本になります。ですから、非弁提携以前の問題として「そのような助けが必要な人がいれば、その人から直接連絡してもらうようにお願いすべき」でしょう。それができない、渋るというのであれば、基本的に真っ当な話ではないと考えるべきです。

第1　非弁行為・非弁提携の一般論

　また、「引退する弁護士の後継ぎに…」というのは、最近かなり増えてきた印象のある勧誘方法ですが、そもそも弁護士が引退するとして、その引継ぎ先を弁護士でない人が探すこと、探すにしても見ず知らずの弁護士に電話をして勧誘することは常識的に考えてあり得ません。

Ⅲ　弁護士が勧誘に乗せられてしまう背景

　以上、いずれも少し冷静に考えればわかりそうなことなのですが、法律事務所の経営、経済状態に不安を抱えている即独・早独の弁護士にとっては、やはり相当に魅力を感じてしまうらしく、このような口車に乗せられてしまう、あるいは、乗せられそうになる例は珍しくありません。弁護士は、経験上、「窮地に陥っている、あるいはそこまでいかなくても不安を抱えている人は、合理的な判断ができないことがある」ということを知っていると思われますが、これは弁護士自身についてもいえます。加えて、弁護士は、意外と自分自身のことになると脇が甘いこともありますので、その点からも注意が必要でしょう。

　なお、勧誘の実態や、非弁提携弁護士の末路について解説したものとしては、拙稿ですが、「本当に怖い非弁提携」二弁フロンティア167号（2017年）があります。二弁フロンティアは第二東京弁護士会の会報ですが、会員でなくてもバックナンバーを第二東京弁護士会のウェブサイト（https://niben.jp/niben/books/frontier/）から閲覧が可能です。詳しくはこちらも参考になると思われます。

(3)　弁護士業務広告と非弁提携の問題－違うけれども切っても切れないこの2つの問題

> **Q12**　弁護士業務広告も、業者との契約や費用の支払、算定方法によっては非弁提携になる可能性があると聞きましたが、どのようなことに気をつけたらよいのでしょうか。

2　近年増加しているケース「新型非弁」に注意

▼

A12　　単なる広告料であるか、それとも紹介料や報酬分配に当たるかは、名目ではなくて実質をもって判断されます。要するに、実質的に紹介料や報酬分配といえるかどうかが問題になり、形式的・機械的な基準はありません。ただし、事件数や問い合わせ数に比例した広告料設定である場合は、紹介料や報酬分配であると評価されることになり、逆に、（ウェブ広告で）クリック数や広告の掲載分量、位置を基準とした広告料設定の場合は、単なる広告料であると判断されることになると思われます。もっとも、「定額であれば、紹介料や報酬分配とは絶対に判断されない」というわけではないことには特に注意が必要です。

解説

Ⅰ　インターネット広告と非弁提携リスク

　インターネットにおいては、アフィリエイト広告といって、その広告がクリックされてその広告経由で売上げが上がった場合、その一定割合が広告料として支払われるという形式の広告があります。

　こういった広告は、広告主からすれば、売上げに比例するわけであって、いわば「広告料の無駄」を避けることができます。また、広告を掲載する側は、より多くの広告料を得ようとするために、より購入してもらいやすくするような広告の掲載位置など、創意工夫により自分の収入にもつながるということになります。

　このように、広告料が広告の成果に比例する形式の広告には相応の合理性がありますが、このような成果報酬型の広告は、受任により得られた報酬を広告掲載先と分配するということで弁護士職務基本規程12条に、また、紹介料とも評価できるので同規程13条に違反することになります。

21

第1　非弁行為・非弁提携の一般論

　また、このような広告を行う者については、業として、報酬目的で法律事務の周旋を行っているか、少なくともそうであると「疑うに足りる相当な理由のある」ことがほとんどでしょうから、同規程11条にも違反することになるでしょう。

Ⅱ　非弁提携の判断は名目ではなくて「実質判断」

　第1-2(1)Q7で紹介したような古典的なタイプの非弁提携と異なり、広告が非弁提携になってしまうケースは判断が難しいことも多く、広告料か紹介料・報酬分配であるか、その判断に迷うことも少なくないと思われます。

　究極的には、「実質判断」ということになりますが、ここではいくつかの判断要素や例を挙げて解説します。なお、拙稿になりますが、「弁護士業務広告の活用法と問題点」自由と正義794号（2015年）においても詳しく解説しています。

　実質的には紹介料・報酬分配ではなく、広告料であると判断されるためには、少なくとも、広告料が広告の掲載分量や位置に基づき決せられ、広告の成果に連動していないこと、掲載や顧客からの連絡について広告業者が介入しないこと（介入があると「周旋」に該当することになります。詳しくは第2-1(1)Q13）が必要であると考えられます。

　典型的には、売上げの○○％と定めることは禁じられますし、あるいは、受任件数1件当たり○○円というような定め方の広告料は、具体的な事件の受任紹介の対価であると評価されることになります。

Ⅲ　インターネット広告における「クリック」「問い合わせ」の評価と非弁提携

　次に難しい点として、インターネット広告で問題となるのですが、広告のクリック数比例、問い合わせ数比例の広告料をどう考えるかというものがあります。

　前者については広告料と解することはできますが、後者については事件の紹介料と評価されるものと考えられます。

22

広告をクリックしたからといっても事件の受任が確定しているわけでもなければ、そもそも、紹介の対象となる事件が存在しているかどうかも確定していません。広告をクリックしたとしても、そこで確定していることは広告が閲覧されるということだけであり、いわばビラ配布の広告についてビラの枚数に応じた広告料を設定することと同様であると理解できます。

一方で、問い合わせ数比例については、これは広告料ではなく、事件の紹介料と評価されると考えられます。確かに問い合わせの段階では、事件であることや事件の受任は確定していません。しかしながら、インターネットの弁護士業務広告とそれをきっかけとした問い合わせの実情としては、問い合わせの段階で、実質的な法律相談や、少なくともその申込みが行われることも珍しくありません。広告を「クリックして閲覧すること」と「問い合わせ」とは、そもそも質が異なるといえます。

Ⅳ　定額であることは免罪符にはならない

その他、注意すべき点としては、支払が定額であってもその定額の支払をしていることを条件に（支払をしている弁護士に対してのみ）法律相談や事件依頼の紹介をする場合には、これも紹介料と評価する余地があるということです。

よく、「定額であれば大丈夫」というような勧誘もなされているようですが、世の中には携帯電話の通信料など「定額であっても何かの対価である」というものは枚挙に暇がありません。

定額の広告料や「コンサルティング費用」を隠れ蓑にして、実質的に依頼者紹介業を行っているのではないかと疑われる業者も散見されますので、注意が必要です。

また、広告業者が受任件数や問い合わせ件数を把握している場合、広告業者が広告料の見直しを提案すると、実質的に紹介料ないし報酬分配と解される可能性が高くなります。

広告業者は、広告料を定額に設定していますが、問い合わせや受任件数を把握しています。そこで、その「成果」を考慮し、あるいは理由にして、広

告料の増減を持ちかけることで、実質的に成果報酬を実現する、というわけです。巧妙な方法ですが、最近増えている類型です。また、一見発覚しそうにないと思われますが、通常、弁護士会の調査に対して弁護士はこれに応じる義務がありますので、調査を受ければ露見をするということになります。

第2

他士業との境界線と 非弁行為に対する対処方法

1 弁護士による業務独占と他士業との関係 － それぞれ法は何を定めているか

(1) 弁護士法72条違反の要件と効果は何か

Q13 弁護士法72条は、誰の、どのような行為を規制しているのですか。それぞれの要件はどのように解釈されていますか。

▼

A13 弁護士法72条は、非弁護士（弁護士でも弁護士法人でもない者）の、業として行う、報酬目的での法律事務の取扱いと周旋を禁止しています。要件についてはいくつかの裁判例がありますが詳しくは解説のとおりです。

解説

I　弁護士法72条の基本的構造

＊弁護士法72条（非弁護士の法律事務の取扱い等の禁止）
① 弁護士又は弁護士法人でない者は、
② 報酬を得る目的で
③ 訴訟事件、非訟事件及び審査請求、再調査の請求、再審査請求等行政庁に対する不服申立事件その他一般の法律事件に関して
④ 鑑定、代理、仲裁若しくは和解その他の法律事務を
⑤A　取り扱い、
⑤B　又はこれらの周旋をすることを
⑥ 業とすることができない。

⑦　ただし、この法律又は他の法律に別段の定めがある場合は、この限りでない。

弁護士法72条は、非弁護士による法律事務の取扱い、周旋を禁止した条文です。

同条の要件は①＋②＋③＋④＋⑤（AorB）＋⑥であり、消極的要件は⑦となります。

Ⅱ　非弁護士の要件と、報酬を得る目的

まず①ですが、規制の対象は弁護士（又は弁護士法人）ではない者ということになります。したがって、弁護士は本条の制限を受けません。

なお、当然のことながら、司法修習修了など弁護士となる資格（弁護士法4条）を有していても、弁護士登録をしていなければ弁護士ではない者に含まれるので、本条の規制の対象となります。

②については、報酬を得る目的が要求されています。報酬については、これまで説明してきた紹介料や報酬分配規制と同様（第1－2(1)Q8、(3)Q12）、その名目いかんを問わず実質で判断されます。

報酬の意義については、「具体的な法律事件に関して、法律事務取扱いのための主として精神的労力に対する対価をいい、現金に限らず、物品や供応を受けることも含まれる。また、額の多少や名称のいかんも問わない」（日本弁護士連合会調査室編著『条解弁護士法〈第5版〉』弘文堂（2019年）643頁）と解されています。

なお、対価性のない支払についてはこの報酬に当たりませんので、例えば、実費の支払を受けただけであれば、報酬目的があったとはいえません。ただし、名目ではなくて実質で判断されますので、実費名目であっても報酬と評価される場合はあり得ます。

あくまで要件は報酬を得る目的であって、現実に報酬を得る、あるいは約束をすることは、必ずしも必要ではありません。例えば「被告人は依頼を受けた事件解決後は特に請求を受けなくても、謝礼を出すのが普通であること

を十分知っており、かつ自発的に謝礼が提供されることを当てにしていた」
（東京高判昭和50・1・21東高刑時報26巻1号4頁〔27817565〕）場合にも報酬
目的は認められます。また額の多寡についても、「弁護士会所定の弁護士の
報酬に近い額のものでなければならないといういわれはない」（前掲昭和50
年東京高判〔27817565〕）とされています。

　詳細は第4-1(6)Q65で触れますが、利用者との金銭のやりとりが一切な
くても、第三者から報酬を受け取る、寄附を募るという場合でも、報酬目的
があるといえるので注意が必要です。

　また、行為者が株式会社である場合、報酬目的がないということは考え難
いです。したがって、この要件が問題になることは実務上はまれです。

Ⅲ　「法律事件」と事件性の要件

　③については争いがあるところであり、裁判例も多いので、詳しくは後述
します（第2-1(2)Q16以下）。これは、取扱いが禁じられるのは「法律事件
に関（する）」法律事務であると定めるところ、法律事件に関しない法律事
務の取扱いについては、本条違反が成立しないのではないかという議論で
す。

　事件性の要件を要求するのは不相当であるとする見解（前掲日本弁護士連
合会調査室編著648～649頁）があるほか、裁判例上は、事件性の要件を満た
さないことを理由に本条の適用を否定したものは見当たりません。

　また、裁判例では「法律事件」の解釈についても「広く法律上の権利義務
に関し争いがあり、疑義があり、または新たな権利義務関係を発生させる案
件」（広島高決平成4・3・6判時1420号80頁〔27811550〕）としており、紛争
の可能性又は「新たな権利義務関係の発生」程度で足りると非常に広く解し
ているようです。

Ⅳ　「法律事務」とは何か

　④については、「鑑定」「代理」「仲裁」「和解」が「法律事務」の例示とし
て挙げられています。

この意義について、裁判例は、「法律上の効果を発生変更する事項の処理を指す」（東京高判昭和39・9・29判タ168号126頁〔27817462〕）としていますが、前掲日本弁護士連合会調査室編著654頁ではより広く、「確定した事項を契約書にする行為のように、法律上の効果を発生・変更するものでないが、法律上の効果を保全・明確化する事項の処理も法律事務と解される」と考えられています。

なお、裁判例上は、債権回収や示談交渉、建物立ち退き交渉や登記手続など、その範囲は非常に広く解されており、実質的に前記の日本弁護士連合会調査室の見解と一致するものであると考えられます。

Ⅴ　「周旋」とは何か

⑤は、「取扱い」又は「周旋」を禁じたものですが、周旋の意義については、「弁護士法第72条にいわゆる訴訟事件の代理の周旋とは申込を受けて訴訟事件の当事者と訴訟代理人との間に介在し、両者間における委任関係成立のための便宜を図り、其の成立を容易ならしめる行為を指称し、必ずしも委任関係成立の現場にあつて直接之に関与介入するの要はない」（名古屋高金沢支判昭和34・2・19刑集13巻12号3182頁〔27817429〕）と解されています。

必ずしも前例の多い分野ではないのですが、弁護士業務広告との関係が問題になり得ます。これについては、「介在」との文言を重視すれば、弁護士から市民への情報提供（広告）と、市民から弁護士への連絡あるいは相談内容に、広告業者が一切関与していないかが重要なポイントになると思われます。

Ⅵ　「業とする」の要件

⑥の「業とする」について、判例は「『業として』というのは、反復的に又は反復の意思をもつて右法律事務の取扱等をし、それが業務性を帯びるにいたつた場合をさす」（最二小判昭和50・4・4民集29巻4号317頁〔27000381〕）と判断しています。例えば、入念に開業の準備をしたり、広く広告をしたりして依頼を受けていた場合は、最初の1回について業務性が認められること

はあり得ると思われます。一方で、そのような事情がなくても、多数回、日常的に反復したという実績があれば、これも業務性を肯定する事情になると思われます。

　昨今の非弁業者は、ほとんどがインターネットで広告を出しています。広告を継続的に出しておいて、反復する意思すらないということは、通常考え難いと思います。そのため、反復継続の意思にすら疑義が生じることは珍しいでしょう。

Ⅶ　弁護士法72条の例外

　⑦について、法律事務全般について弁護士の独占業務とすることを原則としつつも、一部の法律事務については、他士業の業法により、他士業もこれを取り扱うことができるようにされており、その例外を予定した定めです。

　なお、このただし書は、「司法制度改革のための裁判所法等の一部を改正する法律」（平成15年法律第128号）で改正されたものです（従前は、「この法律に別段の定めがある場合」とだけ定められており「他の法律」が含まれていませんでした）。ただし、各士業の業法は、法律事務の取扱いについては同条との関係では特別法になるわけですから、特別法は一般法に優先するという原則に従い、同条ただし書は注意的にこのことを規定したにすぎないと考えられます。

Q14　弁護士法72条違反の効果はどのようなものですか。

▼

A14　弁護士法72条に違反した依頼（委任契約）は無効となり、かつ、それに基づき行われた行為は無効になる可能性があります。また、違反には刑事罰による制裁もあります。

> 1 弁護士による業務独占と他士業との関係－それぞれ法は何を定めているか

解説

Ⅰ　弁護士法72条違反の効果

　弁護士法72条は、公益的な目的がある（第1－1(3)Q5）ところ、裁判例上も、同条違反による効果については基本的には無効とするとの判断をしています。

　まず、同条違反の委任契約の効力について、裁判例には、「弁護士法第72条に違反することが明かであり、同条はいわゆる『事件屋』等の非弁護士が不当に訴訟事件に介入して法律知識に疎い民衆から報酬を得ることを防止し以て国民の健全な法生活感情を維持しようとする公益的規定であり、同条違反の行為は同法第77条により刑罰の制裁を伴うものであるから、同条違反の契約は無効と解すべきである」（福岡高判昭和35・11・22下級民集11巻11号2552頁〔27440522〕）と判断したものがあります。

Ⅱ　弁護士法72条違反の報酬請求権と代理行為の効果

　非弁行為を内容とする委任契約が無効であることの帰結として、同契約に基づく代理権も報酬請求権も存在していないことになります。

　したがって、既払の報酬については返還請求が認められることになります。

　一方で、弁護士法72条に違反する委任契約に基づく代理行為の効果ですが、同法72条の趣旨を述べた大法廷判決（第1－1(1)Q1）の趣旨に鑑みれば、これも無効と考えるのが、整合的な解釈であると思われます。

　もっとも、近時の判例で、「認定司法書士が委任者を代理して裁判外の和解契約を締結することが同条に違反する場合であっても、当該和解契約は、その内容及び締結に至る経緯等に照らし、公序良俗違反の性質を帯びるに至るような特段の事情がない限り、無効とはならないと解するのが相当である」（最一小判平成29・7・24裁判所時報1680号1頁〔28252248〕）と判断したものがあります。

　これによると、単に非弁行為であるというだけで、代理行為が無効になるのではなくて、「公序良俗違反の性質を帯びるに至るような特段の事情」が

必要とされており、原則は有効であると判示したものといえます。最大判昭和46・7・14刑集25巻5号690頁〔24005136〕との整合性（同法72条を公益規定としつつも、これに違反する行為は公序良俗違反ではないことを原則としている）に疑問がないわけではありませんが、今後、「特段の事情」の具体的内容が問題になると思われます。加えて、第2-1(4)Q21で指摘していますが、公正証書等については、公正証書の作成を「特段の事情」ととらえて無効と考えても本判例とは矛盾しないと思われます。

　さらに、同条違反には同法77条3号が罰則を定めており、法定刑は「2年以下の懲役又は300万円以下の罰金」とされています。また、両罰規定も定められています（同法78条2項）。

　弁護士として弁護士法違反の行為が問題になるのは、受任事件の相手方に代理人と称する非弁業者が登場した場合や、あるいは依頼者が既に非弁業者に依頼していた場合であり、その効果についてよく留意する必要があります。これらの問題については第4-1(1)Q56で解説します。

Q15　弁護士法72条は、弁護士であれば法律事務の周旋業ができると読めそうですが、弁護士が弁護士紹介業を営むことはできるのですか。

▼

A15　弁護士法上の規制はありませんが、弁護士職務基本規程13条が、いわば上乗せ規制として弁護士による弁護士紹介業も禁止しているので行うことはできません。

解説

I　弁護士法72条「は」、弁護士による周旋業（弁護士紹介業）を禁じていない

　弁護士法72条は、規制の対象を「弁護士又は弁護士法人でない者」としています。したがって、弁護士は、同法27条が72条違反の者との提携を禁じているというほかは、同条の規制を受けない、つまり法律事務の周旋業を営むことができるというのが弁護士法上の帰結になります。

II　弁護士職務基本規程が、上乗せ規制として、弁護士による周旋業（弁護士紹介業）を禁じている

　ただし、弁護士職務基本規程13条2項は「弁護士は、依頼者の紹介をしたことに対する謝礼その他の対価を受け取ってはならない」と定めており、法律事務を周旋して対価を受け取ると、この規程に違反することになります。

　また、同規程13条1項は「弁護士は、依頼者の紹介を受けたことに対する謝礼その他の対価を支払ってはならない」と定めており、弁護士が、そのような事業を営む者に対価を支払って紹介を依頼することも禁じられています。

　したがって、弁護士法72条に違反しないとしても、同法22条により弁護士が遵守義務を負っている弁護士職務基本規程に違反する以上は、弁護士といえども「弁護士紹介業」のような事業を営むことはできないということになっています。

III　弁護士職務基本規程13条の合理性と立法論

　弁護士職務基本規程13条の立法趣旨は、依頼者紹介の対価を支払うことにより、「事件の周旋を業とする者との結びつきを強め、ひいては弁護士の品位を損なうことになるおそれが高い」（日本弁護士連合会弁護士倫理委員会編著『解説弁護士職務基本規程〈第3版〉』（2017年）29頁）、「（紹介料が）依頼者に転嫁され、過大な弁護士報酬請求の原因となる」（同前）と説明さ

れています。

　ただし、現在でも、弁護士が自分の所に依頼が来たけれども自分では対応が難しい場合に、知人の弁護士等に紹介をするということは日常的に行われています（紹介の対価の授受がないのであれば、このような行為は同規程13条に何ら反するものではありません）。

　前掲の解説によれば、「依頼者の紹介をすることは、もとより弁護士の職務範囲ではな（い）」とも論じられていますが、一方で、弁護士それぞれの得意分野・専門分野というのは、自称を除けばなかなか利用者から判断することは難しく、むしろ、弁護士こそがその相談者の実情やニーズに合致した弁護士を紹介することができるということで、弁護士側からの情報提供が求められているところでもあります。

　そうすると、弁護士が、適正に市民それぞれのニーズに合致した弁護士を紹介する事業を行うこと、それについて対価を得ることを認めることは、立法論の1つとしては検討の価値があるのではないかと思われます。

　もっとも、以上指摘されるような弊害も十分考えられるところであり、現実的な問題として「弁護士周旋業」の適正を確保することは容易ではないとも考えられるところです。

　なお、同規程13条については、第2-2(2)Q27で規制について、第2-2(3)Q29で適用除外になる場合について詳しく解説しています。

(2)　弁護士法72条の最大論点－「事件性」の論点と解釈と裁判例について

Q16　弁護士法72条には「法律事件に関して」という文言がありますが、どのように解釈すべきでしょうか。

Q17　「法律事件に関して」について、裁判例はどのように解釈していますか。

1 弁護士による業務独占と他士業との関係－それぞれ法は何を定めているか

Q18 「法律事件に関して」について、「事件性の要件」という議論もあると聞きましたが、どのような議論でしょうか。

Q19 結局、「法律事件に関して」の解釈について、実務上はどのように解釈し、あるいは留意をすべきでしょうか。

▼

A16 　この要件については、著者としては「何らかの具体的な案件・問題について」という程度に解すべきと考えますが、近時の裁判例、実務上は、A17のとおり権利義務に関し疑義があるか、又は新たな権利義務関係を発生させる案件とするのが有力です。本書ではこの見解に立って解説します。

A17 　この要件については、「広く法律上の権利義務に関し争いがあり、疑義があり、又は新たな権利義務関係を発生させる案件」とする裁判例がありますが、紛争性を要求していない裁判例、あるいは明確に否定している裁判例もあります。

A18 　事件性、すなわち「紛争性がある」ことを弁護士法72条の要件とする考えです。言い換えると、紛争性がない案件については同条の規制対象ではなく、非弁護士であっても取り扱えると考える見解です。

A19 　弁護士法72条の適用がリスクになる場面では事件性の要件については不要であるとの見解をとり、逆に、同条の適用を主張する場面では不要であるとの見解のみならず、少なくとも権利義務の存否に疑義ないし紛争の可能性が必要であると主張するのが適当でしょう。

解説

Ⅰ　事件性の要件の論点と問題の所在

　これは、いわゆる事件性の要件の論点と呼ばれるものであり、弁護士法72条の解釈の中でも最大の論点といえる部分です。

　問題の所在は、同条は「法律事件に関して……法律事務を取り扱い」することを禁じているところ、「法律事件に関して」とある以上は、法律事件に関しない法律事務の取扱いについては、同条はこれを禁じていないのではないかというところにあります。

Ⅱ　「法律事件」の意義と各解釈の立場と裁判例

　そうすると、この「法律事件」の意義が問題になることになりますが、その解釈について、主に他士業から「事件性」が必要であるという見解が主張されています。この見解は事件性必要説と呼ばれています。対して、このような要件を必要としない見解は事件性不要説といい、日本弁護士連合会調査室編著『条解弁護士法〈第5版〉』弘文堂（2019年）648～649頁はこの見解を採用しています。

　さて、事件性の内容について、論者により異なりますが、一般的に紛争であることを要求しているようです。この見解によれば、紛争性のない法律事務、例えば契約交渉や契約書チェックなどは本条の規制対象とはならず、非弁護士であっても業として報酬を得る目的で自由に行うことができるということになります。

　この事件性必要説の論拠としては、事件性不要説によると、弁護士法72条により禁圧される範囲が広くなり、不当に処罰範囲が拡大されるのではないかなどの指摘があります。

　この問題について裁判例は、「弁護士法第72条本文前段によつて禁止されている……『一般の法律事件』とは、同条に列挙されている訴訟事件その他の具体的例示に準ずる程度に法律上の権利義務に関して争いがありあるいは疑義を有するものであること、言い換えれば『事件』というにふさわしい程

度に争いが成熟したものであることを要すると解すべきである」（札幌地判
昭和45・4・24判タ251号305頁〔27817528〕）として、事件性必要説に親和的
なものもあります。ですが、「立ち退き合意の成否、立ち退きの時期、立ち
退き料の額をめぐって交渉において解決しなければならない法的紛議が生ず
ることがほぼ不可避である案件」（最一小決平成22・7・20刑集64巻5号793頁
〔28167530〕）など、紛争の可能性で足りるとした、いわば中間的なものが大
多数です。

　さらに、「『権利義務に関し争があり若しくは権利義務に関し疑義があり又
は新たな権利義務関係を発生させる案件』を指すと解するのが相当」（札幌
高判昭和46・11・30判時653号118頁〔27817549〕）と幅広く解した裁判例、あ
るいは、刑事事件において自由刑が確定した者について、刑の執行を延期す
るように求めた事案について、同法72条違反を認めた裁判例（大阪高判昭和
43・2・19判時522号98頁〔27819937〕）もあります。

　特に前掲昭和43年大阪高判〔27819937〕については、確定した刑事訴訟の
判決について、その効力を争うのではなくて、単に執行の延期を求め、検察
官の職権発動について希望を述べたというにすぎず、事件性必要説はもちろ
ん、紛争の可能性や新たな権利義務を発生させる案件であることが必要とす
る中間的な見解の観点からも説明の困難な裁判例です。

　前者の裁判例についても、紛争性のあるもののみならず「又は新たな権利
義務関係を発生させる案件」としており、かなり広く解釈していると理解で
きます。

　加えて、事件性がないことを理由に同条違反を否定した裁判例は見当たり
ません。

　近時、地裁裁判例ですが「弁護士法72条本文前段にいう「法律事件」と
は、法律上の権利義務に関し争いや疑義があり、又は、新たな権利義務関係
の発生する案件をいうと解される」（東京地判平成28・7・25判タ1435号215
頁〔29019470〕）と判断したものがあります。

　これは、前掲昭和46年札幌高判〔27817549〕の裁判例並びに前掲『条解弁
護士法〈第5版〉』の解釈とも一致します。もはや近時の裁判例の趨勢は、

この見解であると理解してもよいでしょう。

Ⅲ　事件性の論点に関する著者の見解

　以上を総合すると、裁判例の傾向としては、純粋な事件性必要説は採用せず、少なくとも紛争の可能性か、新たな権利義務関係の発生があれば弁護士法72条の適用がある、あるいは、事件性そのものを不要としているとも理解できます。

　この論点について、事件性不要説が妥当であると考えます。

　そもそも、弁護士法72条の趣旨（第1-1(1)Q1）に鑑みれば、これを紛争性のある事件に限定する必要はありません。むしろ、いわゆる三百代言あるいは事件屋的行為は、紛争であるかどうか不明確な事案においてこそ付け入りやすく、横行しやすいのですから、むしろ紛争性の曖昧な事案でこそ禁圧する必要があります。

　また、仮に事件性の要件、すなわち紛争性を要件とした場合、非弁護士が法律事務の依頼を受けた際、その時点で「その案件について紛争があるか、ないか」を正確に判断することが求められます。弁護士としては経験があることですが、「紛争にはならないだろう。すんなり合意できるだろう」と思った案件でも、意外に紛争になることは決して珍しくありません。また、相談者の話を聞いていても、「まさかここまで揉めることになるとは思わなかった」と聞くことも珍しいことではありません。紛争性を要件とする見解は、このような法律問題の実情を正解しないともいえ、この点からも妥当ではありません。

　そもそも、同条違反の効果は委任契約の無効であり、それにより代理行為などが無効になる場合もあり得るというものです（第2-1(1)Q14）。受任時に想定することが困難な事情で事後的に合意等が無効になるかもしれず、その判断は決して容易ではないというリスクを依頼者に負担させるのは、同条の趣旨に鑑みても不相当であるといえるでしょう。

　また、文言上も同条は「法律事件」と定めるところ、ここから「事件性の要件」を導き、かつ、事件性という言葉から「紛争性」を導くというのはあ

まりに飛躍した解釈であるといえます。

なお、司法書士法施行規則31条1号、2号に他人の財産管理や法律行為について代理する業務が司法書士法人の目的として定められていることを根拠に事件性必要説が立法と整合するという見解が一部にあるようです（つまり、紛争性のない代理は非弁護士が業務としてできる）。しかしながら省令を根拠に法律の解釈をすることには無理がありますし、そもそも文言上も前記規則は、成年後見人など法令上の制度に基づく地位に就任して本人を代理する業務しか記載がありません。「代理人」として代理・法律行為をするとの記載は一切なく、この議論を何ら左右するものであるとはいえません。

法律の用語として「事件」といっても、紛争性がないものはいくらでもあります。家事事件手続法では、相続の放棄の申述等、紛争であることを想定し難い事案についても「事件」の用語を多数用いており、弁護士法72条においてのみ「事件」という語から事件性という意味を読み取り、そこからさらに紛争性という意味を読み取ることには何ら合理性がありません。

また、近時の立法として「債権管理回収業に関する特別措置法」がありますが、同法は「弁護士法（昭和24年法律第205号）の特例（同法1条）」であるところ、同法2条2項は「この法律において『債権管理回収業』とは、弁護士又は弁護士法人以外の者が委託を受けて法律事件に関する法律事務である特定金銭債権の管理及び回収を行う営業又は他人から譲り受けて訴訟、調停、和解その他の手段によって特定金銭債権の管理及び回収を行う営業をいう」と定めています。

同法2条2項は、文言上、「債権管理回収業」が法律事件に関する法律事務であること、その内容は、「債権の管理及び回収」つまり「債権の管理」という紛争性を到底想定し難い行為についても本条の適用があることを前提としています。仮に事件性必要説を前提にするのであれば、「債権の管理」についてまで「法律事件に関する法律事務」と定める必要はなかったはずです。さらに司法書士法1条が改正（令和元年法律第29号）され、使命規定が追加されましたが、同条は司法書士について「登記、供託、訴訟その他の法律事務の専門家」と宣言しています。これらのうち「訴訟」については類型

的に紛争性があることが明らかです。それにもかかわらず、「法律事件」という用語は同条を含めて司法書士法には一切用いられていません。このことからも、法は、「法律事件」という言葉に紛争性という意味も含めて、特別の意味を与えていないと考えるのが自然です。

加えて弁護士法73条をみると、これは他人の権利を譲り受けて実行することを業とすることを禁じる規定ですが、「法律事件に関する権利」のような限定は一切ありません。事件性必要説によると、紛争性のある権利について代理することは禁圧されるのに、譲受けについては事件性がなくても禁じられるという整合しない結論になります。

さらに、より事件性必要説と整合しないのは、弁護士法74条2項です。同項は「弁護士又は弁護士法人でない者は、利益を得る目的で、法律相談その他法律事務を取り扱う旨の標示又は記載をしてはならない。」と定めています。ここにいう「法律相談」や「法律事務」には条文上、「法律事件に関して」という限定がありません。

そうすると、弁護士法72条の適用について事件性必要説つまり紛争性が必要であるとの見解を採用すると以下のとおり非常に奇妙な結論になります。

すなわち、事件性必要説においては、紛争性のない法律相談や法律事務の取扱いは合法ということになります。しかし、弁護士法74条2項は、前記のとおり「法律事件に関して」という限定がありません。そうすると、事件性必要説を採用しても、（法律事件に関してという限定がない以上は）弁護士法74条2項は、事件性のない法律相談にも適用される、つまり、「事件性のない法律相談、法律事務を取り扱います」と表示すると、それだけで処罰されるということになります。

つまり「適法な業務（紛争性のない法律相談等）を行います」と表示すると処罰されてしまう、という奇妙な結論になり、このような法律上の整合性からも、事件性必要説つまり紛争性を要求する見解はとり得ないというべきです。

したがって、弁護士法72条の趣旨や文言の文理の双方、さらに特別法の定めに鑑みるに、事件性不要説が合理的であると思われます。

Ⅳ　事件性の論点に関する実務上の留意点

　以上論じてきましたが、実は、この解釈上の争いは実務において決定的に重要とまではいえません。書式等をはじめとする法律情報へのアクセスが極めて容易になった今日、そもそも、潜在的な紛争の可能性すらない案件について有償で依頼するということは、さほど多くないと考えられるからです（ただし、事業者については、契約書等のチェックなどの問題があります）。

　実務上も、本条の適否が問題になる事案において、潜在的にも紛争性がない、権利義務の存否に疑義がないということはさほど多くありません。問題になる事案において、たとえ、裁判例のうち事件性必要説に親和的な見解（すなわち紛争の可能性や権利義務に疑義のある事案に限るとするもの）を前提にしても、結局、事件性不要説と結論に大差はないものと思われます。

　この論点については、本条違反を主張するべき事案かどうか、つまり、主張することで依頼者が不利益を被るかどうかを検討したうえで、事件性不要説か裁判例にいうような中間的な解釈かを選択するべきです。

　なお、著者の見解はA16のとおりですが、本書では、弁護士法72条の「法律事件」の定義については、裁判例・実務の採用する法的紛議の可能性又は権利義務を変動する案件、という理解を前提に解説します。

(3)　弁護士法72条の「別段の定め」としての他士業の法律

> **Q20**　弁護士法72条ただし書は、弁護士の法律事務の独占の例外として「ただし、この法律又は他の法律に別段の定めがある場合は、この限りでない。」と定めていますが、「別段の定め」にはどのようなものがありますか。

▼

> **A20**　この法律（弁護士法）の「別段の定め」は、現行法上は存在しません。他の法律としては、司法書士法、税理士法、行政書

第2 他士業との境界線と非弁行為に対する対処方法

士法、債権管理回収業に関する特別措置法などがあります。

解説

Ⅰ　弁護士法72条と他士業の法律の関係

　業として行う報酬目的の法律事務については、「原則」として弁護士に独占をさせるというのが法の建前です。

　このような定めをおいた法の趣旨（第1-1(1)Q1）に鑑みれば、「当事者その他の関係人らの利益をそこね、法律生活の公正かつ円滑ないとなみを妨げ、ひいては法律秩序を害する」おそれのないように、相当な制度的・資格的担保のある場合には、非弁護士にも法律事務の一部を行わせることが、社会的に有益な場合もあるでしょう。

　そこで、弁護士法72条ただし書は、他の法律に同条の例外があることを予定し、それを注意的に明らかにしたものであるといえます（第2-1(1)Q13の⑦の解説を参照）。

Ⅱ　「別段の定め」の具体例

　「別段の定め」は、「この法律」つまり弁護士法自体には、現行法上は存在しません。「他の法律」としては、司法書士法、税理士法、行政書士法、債権管理回収業に関する特別措置法などがあります。

　例えば、司法書士法3条1項各号には司法書士の業務が列挙されており、これらについては、本条が規定する法律事務に当たることは明らかですが、司法書士が同法3条1項各号の範囲内で行う限り、弁護士法72条違反の問題は生じないということになります。

　各法の業務範囲について概観すると、司法書士については登記手続の代理（司法書士法3条1項1号）のほか、裁判所等への提出書類の作成（同項4号）等を行うことができます。さらに、認定司法書士（同法3条2項各号の要件を満たした司法書士）であれば、簡易裁判所における訴訟代理（同法3条1項6号）や、簡易裁判所の訴額の範囲つまり140万円までの民事紛争の

42

裁判外代理（同項7号）まで行えると定められています。

　税理士については、「税務代理」「税務書類の作成」「税務相談」（税理士法2条1項各号）、それらに付随する一定の業務（同条2項）が認められています。

　以上の行為は、いずれも、法律上の効果を発生・変更するか、明確化して保全する、さらには法律上の専門知識に基づいて見解を述べることによる「鑑定」（日本弁護士連合会調査室編著『条解弁護士法〈第5版〉』弘文堂（2019年）653頁）等の法律事務であることは明らかですが、弁護士法72条ただし書の「別段の定め」に当たり、適法に行うことができます。

　その他、債権管理回収業に関する特別措置法、いわゆるサービサー法があり、これも弁護士法72条の「別段の定め」に当たることは同様（債権管理回収業に関する特別措置法1条）なのですが、さらに、「他人から譲り受けて訴訟、調停、和解その他の手段によって特定金銭債権の管理及び回収」（同法2条2項後段）も行うことができるとされています。

　他人の権利を譲り受けて実行する行為は、弁護士法73条が「何人も、他人の権利を譲り受けて、訴訟、調停、和解その他の手段によつて、その権利の実行をすることを業とすることができない」と定めているとおり、弁護士といえども許されません。この点において、債権管理回収業に関する特別措置法は、弁護士法72条のみならず、同法73条の特則でもあるということがいえます。

⑷　弁護士が他士業の職域に注意するべき理由は何か－縄張りの問題だけではなく、依頼者の問題でもある

> **Q21**　弁護士が、他士業の職域に注意をすべき理由はどこにあるのでしょうか。

▼

第2　他士業との境界線と非弁行為に対する対処方法

A21　他士業と連携・協働して業務を行う場合に適法性を確保するため及び、相手方に他士業あるいは無資格者が関与している場合、事後的に訴訟提起や合意等が無効と判断される可能性があるため、そのリスクヘッジとして重要だからです。

解説

I　業際問題は、ただの縄張り争いの問題ではない

　業際問題（弁護士と他士業の業務範囲に関する問題のことをこう呼びます）というと、弁護士と他士業との「縄張り争い」という印象が非常に強いものです。

　もちろん、そのような面があることは否定できません。ですが、弁護士は非弁提携が厳重に禁じられている（弁護士法72条、弁護士職務基本規程11条～13条）一方で、社会や法律が複雑化・専門化している中で、弁護士が他士業と協働をすることの必要性は非常に高くなっています。

　このような状況下においては、弁護士としては、他士業連携が必要で重要なものである一方で、それが違法な非弁提携に当たらないかという点も同時に注意をしなければいけません。

　他士業と連携する以上は、その他士業がどこまでの業務を取り扱えるのか、それを正確に把握して行う必要があります。特に、他士業と連携する場合、何らかの案件を「共同受任」することもあるでしょうが、その案件に共同受任する他士業が行えない法律事務が含まれていた場合、他士業が自らは行えない法律事務の対価を収受することになり、同法27、72条や同規程11条～13条違反の問題が生じることになってしまいます。

　他士業の業際問題を考えるというのは、単なる弁護士と他士業との縄張り争いとか、あるいは他士業を排除するというものではなくて、より良い適切な協働関係と役割分担の模索でもあるのです。

44

Ⅱ　業際について考えることは、相談者・依頼者の権利利益を守るうえでも
重要である

　以上に加え、弁護士としては当然、相談者・依頼者の権利利益を守らなければなりません。

　裁判例上、非弁行為の関わる訴訟提起は無効であるとして却下される（第2－1(5)Q22～Q24）、あるいは、作成された公正証書が無効と判断された事例（松江地判昭和40・5・27判時422号52頁〔27440887〕）もあります。したがって、相手方に他士業（あるいは無資格者）が関与し、あるいは「代理人」を自称して関与していた場合、せっかく苦労して事件を解決しても、事後的に無効と判断されるリスクを依頼者に負担させてしまうことになります。

　また、既に非弁業者に依頼してしまった市民からの相談や、他士業・企業・官公庁などからの弁護士法適合性に関しての相談においても、業際について正しく把握をしていないと、思わぬ損害を相談者に被らせることになりかねません。

　業際問題は、弁護士だけではなく、相談者・依頼者にとっても重要な問題といえます。

(5)　司法書士と本人訴訟支援の問題－何をどこまですることができるのか

Q22　司法書士が「本人訴訟支援」を行うことは、弁護士法72条に違反しないのでしょうか。

Q23　司法書士が弁護士法72条に違反しないように「本人訴訟支援」をするにはどのような関与の方法が考えられるでしょうか。

第2　他士業との境界線と非弁行為に対する対処方法

> **Q24**　相手方が、司法書士から本人訴訟支援を受けている場合、どのように対処すべきでしょうか。

▼

A22	関与の程度によっては、違反するものと考えられます。
A23	法的な常識に基づいて言い分を整理する、言い換えれば、裁判所が書面を読むのに支障がないようにする限度での関与が考えられます。
A24	被告側（相手方が原告）の場合は無権代理として訴え却下を、原告側（相手方が被告）であれば無権代理として主張立証が無効であることを主張すべきですが、通常の訴訟活動も行うべきです。

解説

I　本人訴訟支援の実情

　昨今、特にいわゆる過払金返還請求訴訟において顕著なのですが、地方裁判所において訴訟代理のできない（認定）司法書士（民事訴訟法54条1項）が、書面は作成するが出廷しない、あるいは傍聴席まで同行して「ブロックサイン」を送るなどして「本人訴訟支援」と称する業務を行う例が散見されます。

II　本人訴訟支援と弁護士法72条の関係

　このような行為は弁護士法72条に反しないのでしょうか。

　まず、この種の問題（業際問題といいます）は、2つの段階を経て検討をする必要があります。

① そもそも、問題となる業務が同法72条に定める法律事務に当たるか
② その業法に基づく業務といえるか

　そもそも、同法72条の法律事務に含まれない場合は禁止されてはいないわけですから、他の法律に反するとか、あるいは、その分野の「専門家」であると勘違いさせるなどの問題は別として、非弁行為の問題は生じません。

　また、同法72条の法律事務に含まれるとしても、業法により、その士業の業務に含まれているのであれば、同法72条の「別段の定め」である以上禁止されないということになります。

Ⅲ　本人訴訟支援に弁護士法72条の適用があるか

　そこで、まず、①すなわち本人訴訟支援が弁護士法72条に定める法律事務に当たるか検討すると、これは当たると考えられます。

　本人訴訟、すなわち裁判手続である以上は、同法72条の「訴訟事件」についての業務であることは明らかです。また、自己の資格を掲げて業務として行う以上、同条の業務性、報酬目的も問題にはならないでしょう。

　次に、「法律事務」に当たるかどうかについてですが、本人訴訟支援には訴状や準備書面などの訴訟資料の作成も含まれ、これらは訴訟法上の効果を発生・確定する行為ですので、この点も該当します（第2－1(1)Q13）。また、実際には、そもそも訴訟で専ら争われるのは事実ですから、事実について依頼者から聞き取りをし、主張すべき事実・提出すべき証拠を選別して助言するという行為も必然的に伴います。そうすると、「法律上の専門的知識に基づいて法律事件について法律的見解を述べること」（日本弁護士連合会調査室編著『条解弁護士法〈第5版〉』弘文堂（2019年）653頁）になりますので、「法律事務」の一類型である「鑑定」にも該当することになるでしょう。

　したがって、同法72条の適用があるため、無資格者が本人訴訟支援を行った場合は同法違反ということになります。

　書類作成は法律事務ではない、という主張は根強くありますが、解釈上の

無理があるといえます。弁護士法72条は、代理以外にわざわざ「鑑定」や「法律事務」を別に列挙しています。また、司法書士法1条は「登記、供託」について法律事務であることを明示しています。書類作成業務が中核の登記・供託も法律事務である以上は、法的な書類作成は法律事務に該当するというべきでしょう。

Ⅳ　本人訴訟支援は、司法書士の業務として弁護士法72条の例外に当たるか

次に、②弁護士法72条の例外、すなわち司法書士の業務の範囲に当たるかが問題になりますが、これについては、一定範囲であれば該当するが、実際には該当する例は少ないだろうと考えられます。

司法書士法上、認定司法書士による簡裁訴訟代理や裁判外代理（司法書士法3条1項6、7号）を除き、訴訟手続への関与や支援などは直接に司法書士の業務として定められていません。

一方で、「裁判所…に提出する書類…を作成すること」（同法3条1項4号）が司法書士の業務とされているところ、これに「本人訴訟支援」が含まれるかが問題になります。

司法書士が行える書面作成の範囲については裁判例があります。少し長くなりますが以下に引用します。

「司法書士の業務は沿革的に見れば定型的書類の作成にあつた……制度として司法書士に対し弁護士のような専門的法律知識を期待しているのではなく、国民一般として持つべき法律知識が要求されていると解され、従つて上記の司法書士が行う法律的判断作用は、嘱託人の嘱託の趣旨内容を正確に法律的に表現し司法（訴訟）の運営に支障を来たさないという限度で、換言すれば法律常識的な知識に基く整序的な事項に限つて行われるべきもので、それ以上専門的な鑑定に属すべき事務に及んだり、代理その他の方法で他人間の法律関係に立ち入る如きは司法書士の業務範囲を越えたものといわなければならない」（高松高判昭和54・6・11判時946号129頁〔27817580〕）。

この裁判例を前提にすると、法的な常識に基づいて言い分を整理する、言い換えれば、裁判所が書面を読むのに支障がないようにするという限度が、

司法書士の業務範囲ということになります。

　もっとも、同裁判例は、「例えば訴状を作成する段階でも証拠の存在内容を念頭に置く必要がある」と判断しており、これについて、「前示の一般的な法律常識の範囲内で助言指導をすることは何ら差支えない」とも述べています。

　同裁判例は、基準を定立することは困難であるとしていますが、「個別的な書類作成行為に収束されるものであるか、これを越えて事件の包括的処理に向けられ」るものであるかを1つの基準としています。

　以上によれば、事件全体に関する法律判断に及ばない程度であれば、書面作成のために証拠の内容の確認や聴取などは、司法書士の業務範囲に含まれると考えられます。

　加えて、以上の司法書士の裁判書類の作成業務は、認定司法書士の簡裁代理業務と異なり審級や民事刑事の制限がありませんので、例えば、前記の範囲で控訴状等を作成することも、当然業務範囲に含まれるということになります。なお、刑事事件に関する書面作成も司法書士の業務範囲に含まれますが、検察庁に提出する告訴・告発状はともかく、刑事訴訟において司法書士が裁判書類の作成業務を行うことは、国選刑事弁護制度がここまで拡充している今日においてはあまり想定できないでしょう。

V 「本人訴訟支援」への「対応」

　最後に、司法書士が本人訴訟支援をしている場合の対応についてですが、地方裁判所の裁判例として、司法書士が本人訴訟支援をしている地方裁判所の訴えについて、民事訴訟法54条1項の弁護士代理の原則に反するとして訴えを却下したものがあります（富山地判平成25・9・10判時2206号111頁〔28220548〕）。

　この事例は、司法書士が印鑑を預かるなどかなり司法書士に任せっきりの訴訟追行が行われていたこと、いわゆる過払金返還請求訴訟であるからこそこのような形態が成立したであろうことから、例外的な場合であるともいえます。

第2　他士業との境界線と非弁行為に対する対処方法

　一方で、このような裁判例があり、かつ、「本人訴訟支援」の名目で、司法書士が事件処理・訴訟方針を策定する行為は、前掲昭和54年高松高判〔27817580〕の裁判例の考えからしても弁護士法72条に違反すると考えられます。したがって、相手方当事者に対して、違法な本人訴訟支援が行われている場合、無権代理の主張を検討した方がよいでしょう。これを看過した場合、自分側の訴訟追行が水泡に帰すことになりかねず、却下判決になった場合、弁護過誤の責任を問われる可能性もあり得ます。

　なお、司法書士の立場からすると、本人訴訟支援が一律に禁じられているものではないとなると、その限界が問題になります。つまり、非弁行為にならないように本人訴訟支援をするには、どういう点に留意すればよいかという問題です。

　この点については、第4-4で解説します。

50

2 他士業と一緒に仕事をするときの注意点

2 他士業と一緒に仕事をするときの注意点

(1) 他士業連携の重要性－法律上できることと実際にできることは違う

Q25 最近、他士業連携の重要性を方々で耳にしますが、弁護士は、多くの他士業の業務についても取り扱えるとされています。それにもかかわらず、他士業連携が重要だといわれるのはなぜでしょうか。

▼

A25 それは、（潜在的）顧客との面識や能力の問題のすべてを相互に補完することができるからです。弁護士の業務範囲が、法律事務一般について及ぶといっても、実際にできるかどうかは別問題です（司法試験や司法修習で担保される範囲は、たかが知れています）。一方で他士業は、その業務範囲に限定があるからこそ、その範囲においては高度な専門性を持っています。加えて、弁護士は数ある士業の中でも、業務範囲が広範な一方で、敷居が高いと思われがちであり、かつ、「紛争解決（だけ）の専門家」というイメージも強く、裁判にでもならない限り最初の相談相手に選んでもらいにくい存在です。一方で、他士業、特に税理士（第2-2(5)Q32）は、日常的に企業と接する機会が多く、この点からも連携は必要かつ重要といえます。

51

解説

I 法律上できることと、実際にできること

　既に解説してきたとおり、弁護士は、法律事務全般を職務としており、その業務範囲は「法律上は」極めて広範です。弁護士法3条1項は「弁護士は、当事者その他関係人の依頼又は官公署の委嘱によって、訴訟事件、非訟事件及び審査請求、再調査の請求、再審査請求等行政庁に対する不服申立事件に関する行為その他一般の法律事務を行うことを職務とする」と非常に広範に弁護士の職務を定めています。加えて、同条2項は「弁護士は、当然、弁理士及び税理士の事務を行うことができる」とも定めているところです。

　しかしながら、法律上資格があって業務ができるということと、実際に適正に処理ができるかということは別の問題です。弁護士業務の典型である訴訟代理においても、例えば特許事件や医療過誤の事件などは、それについて特別の経験がないのであれば、どの弁護士でも受任を避けると思われます。

　一方で、他士業の法律専門家は、各業法に法律事務のうちの一部が業務範囲として定められ、弁護士法72条の特例として、一部の法律事務を行うことができるという立て付けになっています（第2−1(3)Q20）。この業務範囲は、法律事務のうち一部に限定されているからこそ、試験や実務経験はその分野に限定して「特化」しているといえ、高度の専門性を身につけている士業は少なくありません。例えば、平均的な税理士と同程度に税務相談や申告業務を、平均的な司法書士と同程度に登記業務をスムーズに行える弁護士は少ないと思われます。

II 他士業連携により自分ではできないことを含む事件もできるようになる

　業務範囲が限定されているからこそ、その分野については高度の実務経験・専門性が期待できる、そのような通常の弁護士が持っていない能力の助けを借りることができるというのが他士業連携のメリットであり、重要性です。逆に、他士業からしても、訴訟代理をはじめとした弁護士の独占業務の分野や、それを踏まえての予防法務等について、顧客から相談を受けた場合

2 他士業と一緒に仕事をするときの注意点

に紹介することができるなどメリットはあるでしょう。

Ⅲ 営業面からも有利

　一方で、業務だけではなくて「営業」という側面からも、他士業連携は、特に弁護士にとって重要です。弁護士は、大幅に増員され、広告が解禁され、その業務内容も多様化、広範化しているとはいえ、まだまだ一般に「敷居が高い」と思われています。これは企業にとっても変わりありません。それどころか、「紛争解決（だけ）の専門家」というイメージも強く持たれており、紛争が決定的になるまでは弁護士に相談しない、したくない、と考えている企業や個人も少なくありません。また、「弁護士に相談・依頼するということは、トラブルについて円満な解決をあきらめるとき」というような誤解すら持たれている例にも接したことがあります。

　このような企業や個人にとっては、最初に相談をする法律専門家は、他士業であることが多く、こういった場合に、その他士業が紹介をする先、頼る先というのは、面識のある弁護士ということになります。そうすると弁護士にとって「営業」という観点からも、他士業連携は相当なメリットがあるといえます。

(2) 弁護士法27条の非弁提携規制より、弁護士職務基本規程11条の非弁提携規制の方がはるかに厳しい

> **Q26** 他士業連携が重要（第2-2(1)Q25）とのことですが、例えば紹介を受けたり、共同して受任したりする場合には、どのような点に注意が必要でしょうか。特に、弁護士は、弁護士法27条（同法72条違反の者との提携（非弁提携）禁止）のほか、弁護士職務基本規程を守る必要がありますが、非弁提携との関係ではどのような点に注意が必要でしょうか。

▼

53

第2　他士業との境界線と非弁行為に対する対処方法

A26　　非弁提携規制は、非弁規制よりもはるかに広範かつ厳重であり、弁護士職務基本規程11条は、非弁行為の「疑い」がある者を「利用」することも禁じています。この場合、金銭のやりとりが一切なくても同条違反が成立しますので、相当高度の注意が必要なことになります。また、弁護士職務基本規程12、13条も、同様の趣旨から比較的広範な規制をしており注意が必要です（第2-2(2)Q27）。

解説

I　弁護士法27条・弁護士職務基本規程と非弁提携規制

　弁護士法は、72条で非弁護士による非弁行為を禁止する一方で、かような者と弁護士が提携することを27条で禁じています。その趣旨は既に解説したとおり（第1-1(3)Q6）、弁護士が名義貸しなどをすることで非弁護士に実質的に法律事務を取り扱わせて、非弁行為規制を潜脱することを防ぐこと等にあります。

　非弁護士は同条を守る義務があり、弁護士には同条を守る義務はありませんが、逆に、同条違反者との提携を禁じた同法27条は守る必要があるという構造になっています。

　さらに、この同法27条の定めをより具体化して、広範にしたものが弁護士職務基本規程11条～13条となります（12条と13条については第2-2(2)Q27参照）。

II　弁護士法27条の定め

＊弁護士法27条（非弁護士との提携の禁止）
① 弁護士は、
② 第72条乃至第74条の規定に違反する者から
③ 事件の周旋を受け、

2 他士業と一緒に仕事をするときの注意点

④ 又はこれらの者に自己の名義を利用させてはならない。

　要件は、①＋②＋（③or④）となっています。

　まず①についてですが、弁護士法72条と異なり、規制の対象は弁護士となっています。

　②は、許されない提携先とはどのような者であるかを定めており、同法72条〜74条のいずれかに違反する者と定められています。つまり、非弁行為をした者（第2-1(1)Q13）ということになります。なお、同法73条は、権利を譲り受けて実行することを業とすることを禁止した定めであり、同法74条は、非弁護士が弁護士等の表示をすることを禁止した定めです。

　③と④は、禁じられている行為であり、③事件の周旋を受けることと、④自己（弁護士）の名義を使わせることを禁じています。

　すなわち、同法27条は非弁提携として周旋を受けることと、名義貸しの2つの類型を禁じている定めとなります。

　周旋を受ける典型としては、非弁護士から、依頼者の紹介を受け、その見返りに報酬を渡すという事例が考えられます。

　名義貸しは、非弁護士に職印等を預けて、非弁護士のほしいままに自己の名義で法律事務を行わせるということが典型例となります。

　同条は刑罰法規であり、同法77条1号で「2年以下の懲役又は300万円以下の罰金」という罰則が定められています。

Ⅲ　弁護士職務基本規程11条の定め

＊弁護士職務基本規程11条（非弁護士との提携）
① 　弁護士は、
②A　弁護士法第72条から第74条までの規定に違反する者
②B　又はこれらの規定に違反すると疑うに足りる相当な理由のある者から
③A　依頼者の紹介を受け、
③B　これらの者を利用し、

55

③Ｃ　又はこれらの者に自己の名義を利用させてはならない。

　弁護士職務基本規程11条の要件は、①＋②（ＡｏｒＢ）＋③（ＡｏｒＢｏｒＣ）となります。

　内容の骨子は、非弁行為をする者との提携禁止、すなわちこれらの者から紹介を受けたり、名義貸しをしたりすることを禁じており、基本は弁護士法27条と同様です（ただし、紹介の範囲について、同法27条は事件の紹介を受けることを禁じていましたが、同規程11条は人の紹介にも適用があるため、この点でも広範です（日本弁護士連合会弁護士倫理委員会編著『解説弁護士職務基本規程〈第3版〉』（2017年）25頁））。

Ⅳ　弁護士職務基本規程11条は、弁護士法27条のどこを拡大したか

　②Ｂ及び③Ｂの2つの点で、対象が大きく拡大されています。

　まず②Ｂの点ですが、②Ａと異なり、非弁行為をしている者だけではなくて、「疑うに足りる相当な理由のある者」も提携先の対象とされています。つまり、実際にやっている・やっていないにかかわらず、「怪しい」事情がある者の利用等については、弁護士職務基本規程11条違反が成立するということになります。これはセミナーなどで解説すると驚かれるのですが、いわば疑わしきは違反する、ということであり、非常に厳しい定めです。

　「疑うに足りる相当な理由」について、どの程度であればこれが認められるか、これを一概に想定することは難しいのですが、例えば、その者が企業である場合、業務として無許可の債権回収業を行っているとか、あるいはウェブサイトの記載からこれが推認されることもあろうかと思われます。

　逆に、違反しないようにするためには、ウェブサイトや業務内容をチェックすること、たくさんの「紹介」を行っているなど、紹介業をしていそうな場合には、しっかりと聞き取りをして確認をすることが重要になるでしょう。

　次に、③Ｂの点も弁護士法27条の内容を大幅に拡大したものになります。同条では、依頼者の紹介を受けることや名義貸しだけが対象でしたが、ここ

では「利用」全般を禁じています。つまり、非弁提携とは何らの関係もない利用、例えば、広告を出してもらうとか、調査をお願いするといったこともこの定めに違反するということになります。

　以上の②B及び③Bを考慮に入れると、同規程11条の適用範囲は非常に広範なものとなります。

V　弁護士職務基本規程11条違反の典型例

　例えば、非弁行為をしていると確証の得られない業者について、全く非弁提携とは関係のない業務をお願いする、例えば広告をお願いするといった場合でも、同条違反が成立するということになります。

　典型的には、弁護士から広告の出稿をウェブサイト上で募っている業者が弁護士紹介業・事件の周旋業を行っている疑いがある場合に、単なる広告を依頼するだけでも、疑いのある者を利用したと評価を受けるケースが考えられます（実際にも非弁提携と広告というのは切っても切れない関係にあるので通常想定できる例です）。また、後に解説します（第2-4 Q43）が、最近増えている類型として、非弁行為を業としている疑いのある企業の顧問弁護士に就任して、ウェブサイト等に「顧問弁護士」として名前を掲載されるということも考えられます。

　本条は要するに、非弁行為については、その疑いがあるだけの者であっても、弁護士はみだりにそのような者と関係を持ってはいけないという定めです。非弁提携がもたらす害悪の大きさに着目して定められたと思われますが、他の非弁提携関係の定めと比べると、規制範囲が非常に広範であり、最も注意をするべき定めであるといえます。

　実際の違反例について「本条違反の例は相当に多い」（前掲日本弁護士連合会弁護士倫理委員会編著27頁）と指摘されています。

　また、懲戒処分の量定が非常に重いのが、この種の事案の特徴です。基本的に業務停止以上の処分となることが多いようです。業務停止は、弁護士にとっては極めて重大な不利益ですので、この規程が非常に重要であることはいくら強調しても強調しすぎであるとはいえません。

第2　他士業との境界線と非弁行為に対する対処方法

> **Q27**　弁護士職務基本規程12条と13条は、どのような行為を禁止しているのでしょうか。

▼

> **A27**　弁護士職務基本規程12条は、弁護士が職務に関する報酬を非弁護士との間で分配することを禁じています。典型的には、非弁護士から出資を受けて利益の一部を還元するとか、非弁護士と共同で案件を処理して報酬を分配する場合などが考えられます。ただし、「正当な理由」があれば許されるとされています（詳しくは第2-2(3)Q28、Q29参照）。
>
> 　同規程13条は、1項で弁護士が依頼者の紹介料を支払うことを、2項で紹介料を受け取ることを禁止しています。

解説

I　弁護士職務基本規程12条の要件

弁護士職務基本規程12条と13条は、11条と同じく非弁提携規制の定めであり、弁護士法27条の趣旨に鑑み、より規制範囲を具体化して広範囲にしたものです。

> **＊弁護士職務基本規程12条（報酬分配の制限）**
> ①　弁護士は、その職務に関する報酬を
> ②　弁護士又は弁護士法人でない者との間で
> ③　分配してはならない。
> ④　ただし、法令又は本会若しくは所属弁護士会の定める会則に別段の定めがある場合その他正当な理由がある場合は、この限りでない。

要件は①＋②＋③であり、消極要件は④となります。

まず①では、職務に関する報酬であることを要求しています。この報酬の

範囲については、弁護士法3条が弁護士の職務の範囲について「訴訟事件、非訟事件及び審査請求、再調査の請求、再審査請求等行政庁に対する不服申立事件に関する行為その他一般の法律事務」と定めています。この範囲に限定するという解釈も成り立つとは思われますが、今日、弁護士の職務は法律事務に限定されないことも珍しくありません。例えば、事件処理に関連するコンサルティング業務等が法律事務に付随して行われることはよくあります。また、その両者の報酬を区分することは難しいでしょう。

　そうなると、この場合の職務に関する報酬とは、弁護士法3条に定める法律事務の対価としての報酬のみならず、それと不可分な職務の対価もこれに含まれると解するのが妥当であるといえます。

　次に②についてですが、分配先が非弁護士に限定されています。分配先が弁護士の場合には同規程12条の適用はないということになります。具体的には、パートナー分配金や、勤務弁護士等の売上げ比例の経費分担などを想定してこれらを除外しているものと考えられます。ただし、弁護士同士の分配に本条の適用がないとしても、単に右から左に事件を紹介して分配を受けるなどの場合は、紹介料として同規程13条に違反する可能性が出てくることになります。

　③は分配を禁じるという定めで、解釈についてはあまり問題はないと思われますが、他の同様の規定と同じく実質判断であり、例えば、広告料等の名目で適用を一律に免れることはできないという点には留意すべきです。

　④は、法令、会則、又は「正当な理由」があれば分配も許されるというものです。

Ⅱ　弁護士職務基本規程12条の「正当な理由」とは何か

　この点については、日本弁護士連合会弁護士倫理委員会が詳しい見解を出しており、隣接専門職と共同した場合において、合理的な分配基準に基づくことが例として挙げられています。これについては、第2-2(3)Q29で詳しく扱います。

　次に、弁護士職務基本規程13条ですが、1項は弁護士が依頼者の紹介を受

けることについて対価を支払ってはならないこと、2項は弁護士が依頼者の紹介をした場合に対価を受け取ってはならないことをそれぞれ定めています。

なお、2項について注意が必要なのは、「『紹介』には、弁護士に対するものだけでなく、弁護士以外の者に対するもの、例えば、遺産分割事件や任意整理事件で不動産の処分を不動産業者に依頼し、その業務上の顧客となる者を紹介する場合も含む」（前掲日本弁護士連合会弁護士倫理委員会編著30頁）とされている点です。すなわち、弁護士からみて顧客でない場合も含まれるというところです。

これについては、最近、「不動産売却案件の紹介をしてくれたら、紹介料を支払います」という営業を法律事務所にしている不動産業者がありますが、そのような行為はこの定めに違反するということになります。同様の問題は、他士業に「紹介」をする場合でも生じます。

そもそも、「紹介業」という業態自体は、他の業界では一般的に存在しますし、特殊なことでも何でもありません。しかしながら、弁護士の世界においては厳しく禁じられていること、それを知らずに前記のような話を持ちかける業者は少なくないということを心得ておく必要があると思われます。

なお、この弁護士以外への紹介も規制対象となるという点については、2020年10月現在、改正により明文化することが検討されています。あくまで従前の解釈の明文化であり、規制されているという事実は左右されるものではありません。

(3) 協業と報酬分配規制－適正な共同受任の方法と留意点

Q28 弁護士は、他士業と協業する場合は、案件を共同で受任する、報酬を分配する必要があると思いますが、弁護士法や弁護士職務基本規程上どのような点に注意が必要ですか。

Q29 弁護士職務基本規程12条により、報酬を弁護士でない者と

2　他士業と一緒に仕事をするときの注意点

の間で分配することが禁じられていますが、「正当な理由」が
あれば可能であるとされています。他士業と共同で案件を処理
し報酬を分配するには、この「正当な理由」を満たすようにす
ることが重要だと思いますが、そのためにはどのような工夫を
すべきでしょうか。

▼

A28　　他士業が、業務範囲外の業務を行うことで弁護士法72条違反
となり、弁護士自身も、そのために名義を貸したとして同法27
条違反、同法72条違反の者を利用したとして弁護士職務基本規
程11条違反、また、非弁護士との間で報酬を分配したとして同
規程12条違反にそれぞれ問われる可能性があります。

　　そのようなことにならないようにするためには、案件で必要
となる処理のうち、それぞれの資格でできること、できないこ
とを切り分けて、かつ、担当する業務の範囲を明確化すること
が必要です。

A29　　まず、Q28で指摘したように、そもそも各自が業務範囲外の
ことを行ってしまわないようにすることが前提となります。

　　すなわち、最初に案件全体でやるべき業務を整理して、各士
業の業務範囲との関係で分類をする。そのうえで、各自にその
資格の範囲内の業務を割り当てていくことが必要になります。

　　さらに、この時点で各自の業務量の目安がわかることになり
ますので、業務量に見合った報酬の分配割合を決め、加えて、
その分配根拠についても合意をしておくということが適切で
しょう。

61

第2　他士業との境界線と非弁行為に対する対処方法

解説

I　他士業と連携するのであれば共同受任と報酬分配は避けては通れない

　他士業連携（なお、他士業に限らず、非弁護士一般も含みます）、案件を共同して行うことの重要性については、第2-2(1)Q25で述べたところですが、案件を共同する以上は報酬を分配する必要が出てきます。

　そして、これも第2-2(2)Q27で解説したとおり、弁護士が非弁護士に報酬分配をすることは原則として禁じられており、「正当な理由」がある場合にだけ許されるということになっています。

　一言に「他士業連携」といってもいろいろな類型があるでしょうが、それぞれの士業のパフォーマンスを最大限に発揮するには、「共同受任」を避けることはできません。

　そして、共同で案件を受任する以上は、（まさか、無償でやってもらうわけにはいかないので）報酬を分配することも必要になってきます。

　他士業連携においては、報酬分配の問題を避けて通ることはできません。

II　他士業と共同受任して報酬分配をする場合に乗り越えるべきハードル

　他士業と共同受任して報酬分配をする場合には、弁護士職務基本規程12条がハードルとなります。

　ただし、弁護士が非弁護士と提携することを制限・規制する規定は同規程12条だけではありません。弁護士法27条と同規程11条は、弁護士に対して、一定の非弁護士との関係を非弁提携として禁じています。

　例えば、同規程12条の規定を遵守するように、客観的かつ合理的な分配基準を完全に定めたとしても、その共同受任する他士業等の非弁護士が、自分の資格では行えない業務、すなわち非弁行為をしているのであれば、同法27条や同規程11条違反になります（ただし、そもそもの解釈論として、非弁提携になるような相手先に報酬を分配する時点で、他の事情にかかわらず、同規程12条の「正当な理由」は満たさないことになると思われます）。

　以上を整理すると、他士業と共同受任等をして報酬を分配するには、以下

の2つのハードルを越えなければならないということになります。

> ＊他士業等と共同受任等をして報酬分配するために越えるべきハードル
> ① 弁護士法27条・弁護士職務基本規程11条に違反しないこと
> ② 弁護士職務基本規程12条にいう「正当の理由」を満たすこと

Ⅲ 他士業等と共同受任等をする場合に弁護士法27条・弁護士職務基本規程11条に違反しないようにするための留意点

①については、整理すると、以下のような要件を満たすように注意が必要です。

> A 共同受任する他士業等が担当する業務が、「弁護士法72条に定める弁護士でなければ行うことのできない業務ではない」か、仮にそれに該当するのであれば、「その士業の業法上の業務範囲に含まれる」こと
> B 共同受任する業務に限らず、共同受任する他士業等が、弁護士法72条に違反し、また、そう疑われる事情がないこと

まず、Aの要件についてですが、弁護士が他士業連携をする場合、純粋に経営的・経済的トピックに限定されない限り、ほとんどの場合は法律事務に該当するものと思われます。また、一見して、経営的・経済的トピックにみえても、弁護士法72条の適用がある場合は少なくないので注意が必要です。例えば、経営不振の会社に対して会社分割による事業再生を指南した行為について、同法72条違反を認めた裁判例もあるところです（東京高判平成23・10・17東高刑時報62巻103頁〔28211220〕）ので、その範囲には相当な注意が必要でしょう。判断の目安としては、少なくとも、法的手段を用いないような案件であること、あるいは、前提として法的判断を必要としない案件であるということは必要だと思われます。

次にBについてですが、同法72条の「法律事務」に該当しても、各士業の業法等が定める業務範囲であれば、同条の「別段の定め」に当たり、適法に業務をすることができます（第2－1(3)Q20）。

63

ですから、協働しようとしている業務が、その他士業の業務範囲であれば適法に共同受任等ができるということになります。もっとも、この業務範囲の判断は難しいことが多く、特に司法書士（第2-1(5)Q23）と行政書士（第2-3(3)Q41）の書面作成は、その業務範囲、できる関与の程度が問題になり得ます。

Ⅳ　他士業等と共同受任等をする場合に弁護士職務基本規程12条にいう「正当の理由」を満たすための留意点

②について、「正当な理由がある場合としては……隣接専門職との協働によるワンストップ・サービスの提供の場合においても、分配について正当な理由があるとされることがあり得る。後者については、合理的な分配基準が工夫されなければならない」（日本弁護士連合会弁護士倫理委員会編著『解説弁護士職務基本規程〈第3版〉』(2017年) 28～29頁）という見解があります。一般論としては、このように考えるのが相当であると思われます。

「あり得る」とされていることから、問題は、その「合理的な分配基準」とは具体的にはどういうことなのかということになります。

同書によれば、「個別の案件について協働した場合（例えば、相続事件につき、弁護士が遺産分割手続を、司法書士が相続登記を、税理士が相続税申告をそれぞれ分担処理したような場合）には、合理的な基準に基づく弁護士報酬の分配が可能である」（前掲日本弁護士連合会弁護士倫理委員会編著29頁）とのことです。これは、個別の案件ごとに報酬を請求するので、むしろ実質的には分配に当たらない場合（弁護士報酬は弁護士しか請求をしていないことになります）ですので、当然の帰結であると思われます。

ただし、このような形式にすると、依頼者から、個別に遺産分割、相続登記、税務申告と受任を繰り返すことになる可能性もあり、依頼者にとっては煩雑です。

問題は、依頼者から1つの案件について、弁護士と他士業が共同で契約をして受任して、報酬の定めも総額でいくらと定めた場合であっても、「合理的な分配基準」があり、「正当の理由」があるというにはどうするべきであ

るかという点です。

　これについてはまさに総合判断ということになるでしょうが、先に引用した分担処理を参考にして考えると、各士業の業務担当とそれに相当する報酬の対応関係が明らかであることが必要でしょう。

　このとき、分配の基準を金額ではなくて割合で定めたからといって、直ちに「正当の理由」が失われるわけではありませんが、弁護士が担当する業務について成功報酬の定めがある場合、実質的に弁護士の報酬分配になる可能性があるので注意が必要です。

　具体的には、報酬総額が150万円で、弁護士と他士業が2：1で報酬を分配する場合を考えてみます。この場合は、弁護士が100万円、他士業が50万円を受け取ることになります。

　ところが、この事件が、進展により成功報酬が別に150万円発生した場合、合計で、弁護士が200万円、他士業が100万円を受け取ることになります。しかし、通常、成功報酬が発生するような分野は弁護士の独占業務であることが多いため、成功報酬の部分（この例では他士業が受領した100万円のうち50万円の部分）は弁護士報酬であり、これを分配すると「正当の理由」を失うことになりかねません。

V　まとめ－他士業と共同受任において満たすべき条件

　以上をまとめると、おおむね、以下のいずれも満たすのであれば、他士業との共同受任に「合理的な分配基準」があり、「正当の理由」があるといえると考えられます。

---

①　各士業の担当業務が客観的に明確であること（書面で確認されていること）

②　①の担当業務について、各士業の職域の範囲内にあるか、弁護士法72条に定める業務に当たらないこと

③　②について、そのように疑われる相当な理由もないこと

④　①の担当業務別に、報酬が明確に定められていること

第 2　他士業との境界線と非弁行為に対する対処方法

⑤　④について割合で定める場合は、②又は③の業務について発生した成功報酬を、他士業が収受しないようになっていること

⑷　司法書士との協業

Q30　司法書士とはどのような協業をすることが有効でしょうか。

Q31　認定司法書士と登記以外、例えば通常の民事紛争・訴訟を協働するメリットはあるのでしょうか。

▼

A30　登記関係はぜひ依頼しましょう。また、不動産取引の決済の立会いについてはお願いする方がよいでしょう。独特の経験を要求される分野であり、安易に弁護士が手を出すのは危険です。

A31　認定司法書士の扱える民事紛争には訴額の制限がありますが、紛争の相当部分はこの範囲に収まります。また、その訴額に収まる紛争には独特の留意点もあります。ですから、その種の事案に特別の経験のある認定司法書士との協働にはメリットがあります。

解説

I　司法書士は登記の専門家

　司法書士法1条は「司法書士は、この法律の定めるところによりその業務とする登記、供託、訴訟その他の法律事務の専門家として、国民の権利を擁護し、もつて自由かつ公正な社会の形成に寄与することを使命とする。」と

定め、同法3条は司法書士の業務範囲を定めているところ、同条1項1号は、「登記又は供託に関する手続について代理すること」と定めています。法律は、司法書士を登記業務の専門家としており、かつ、実際にも司法書士の業務で大きなウェイトを占めるといえるでしょう。

「餅は餅屋」という言葉を引用するまでもなく、ある分野を重点的に扱っている者に依頼をするというのは合理的な判断といえます。

Ⅱ　弁護士が登記業務や不動産取引の決済の立会いをすることにはリスクがある

一方、弁護士も法律事務一般を業務とする関係上、登記業務を行うことができます。なお、弁護士の業務範囲を定めた弁護士法3条1項には、登記申請代理業務も含まれるとする裁判例があります（東京高判平成7・11・29判時1557号52頁〔28010213〕）。

したがって、弁護士は、登記の申請代理はもちろん、不動産取引の決済の立会いも問題なくできるということになります。

しかしながら、原則撤回が自由で、相互に時間をかけて手続が積み重なっていき、裁判所も相当の後見的機能を果たす民事訴訟と異なり、登記業務は、基本的に1回で遺漏なく行わなければなりません。そうすると、日常的に行っているかどうか、経験がモノをいうことになります。

また、不動産取引の決済の立会いに至っては、たびたび、地面師（不動産取引において自己所有ではない不動産を所有しているように見せかけ、取引をして金銭を詐取する者）による被害が報道されているとおり、特殊な経験に基づく慎重な注意が要求される分野です。

特に、この際の本人確認については極めて高度な義務が課されています。印影の照合はもちろんのことですが、それだけに注意義務はとどまりません。実際にあった事例としては、本人確認に使われた免許証について、「有効期間につき、本来偽丙山の誕生日が『昭和10年5月23日』と記載されていたのであれば、『平成24年6月23日』と記載されてなければならないところ、『平成24年5月23日』と記載されていたのであるから、一見して不審な

運転免許証であると気付くべきであった」（東京地判平成24・12・18判タ1408号358頁〔28230817〕）として過失を認めた事例もあります（法律上、誕生「月・日」の1か月後が有効期限とされているので、それと矛盾する記載を看過したことは過失であるというものです）。

注意義務というのは、明確に法律に列挙されているわけではないので、一朝一夕に必要な注意をすることができるようになるものではありません。

したがって、特別の経験を要し、かつ、不用意に手を出すリスクの高いこの種の業務は、まさにその分野の専門家に任せるべきといえます。

Ⅲ　訴額140万円以下の民事紛争を認定司法書士と共同受任するメリット

弁護士として他士業連携する場合のメリットの1つは、自分が持っていない経験、技術によって顧客により上質なサービスを提供できる、あるいは、協働を通じてそれを学べるという点です（第2-2(1)Q25）。

基本的に民事紛争というのは弁護士の独占業務であり、最も通じているべき分野です。訴額が低くてもそれには変わりはなく、たまたま訴額が140万円以下でも、認定司法書士と協働するメリットはないのではないかと思われるかもしれません。

確かに、特に人手が足りないといった理由でもない限り、基本的にはそのとおりです。

もっとも、訴額の低い事件というのは、独特の考慮要素があります。経済的に合理性がない、少ない金額でもあえて紛争になったうえで専門家に依頼をしているのであって、相当にこじれているという事情があり、この点の考慮がなければ、適切な交渉や訴訟代理をすることはできません。また、一方が本人訴訟であることも多く、その場合には特に独特の配慮が必要です。

いわば、少額紛争というのは、それ自体、1つの専門分野であるともいえます。司法研修所が、『簡易裁判所における交通損害賠償訴訟事件の審理・判決に関する研究』法曹会（2016年）をとりまとめたことにも、このような傾向は現れていると思われます。

さて、認定司法書士の中には、民事紛争事件を特に重点的に扱っている者

もいます。いろいろな訴額をまんべんなく扱っている弁護士に比べれば、そのような認定司法書士は、以上のような事情に詳しいことが期待できます。

もっとも、Ⅰ、Ⅱで述べた登記の場合ほど、一般的な傾向ではないと思われます。登記に詳しくない司法書士はそういませんが、認定司法書士の資格を得ていても、民事紛争に詳しくない可能性は十分ありますので、登記の場合に比べて見極めが非常に重要でしょう。

Ⅳ 司法書士から顧客を紹介してもらえるメリット

これは、どの他士業連携についてもいえることで、司法書士との関係でも同じことがいえます。

税理士の場合、規模が小さいから税務申告は自分で…、ということはあっても、規模が小さいから登記は自分で…、ということはまれだと思います。不動産登記という時点で、既に大きなお金が動くからです。

司法書士の取り扱う取引は、税理士と比較するとさほど日常的な取引ではない（逆に日常的に登記を必要とする取引をする規模の事業者には、既に顧問弁護士等がついている場合がほとんどでしょう）という点もあります。ですが、少なくとも弁護士よりは、司法書士は市民と事業者に近い士業といえます。したがって、企業から最初に相談を持ちかけられることも少なくなく、従前からの付き合いがあれば、依頼者を紹介してもらえることも期待できるでしょう。

無理して慣れないリスクの高い業務（Ⅰ、Ⅱ）を行うよりは、今後を考えて司法書士に紹介することが合理的であるといえます。

⑸ 税理士との協業

Q32 弁護士にとって他士業と連携するのであれば、税理士が一番とよくいわれるのですが、それはなぜでしょうか。

第2　他士業との境界線と非弁行為に対する対処方法

Q33　弁護士が税理士業務を行う際の注意点を教えてください。

▼

A32　「弁護士は（実際には必要な状況であっても）要らない」と思っている企業はありますが、「税理士は要らない」という企業は滅多にないからです。法律問題ですら、最初の相談先は税理士であるという企業が非常に多いです。つまり、企業にとって最も身近な法律専門家は税理士であり、「顧客獲得」という点からは弁護士にとって最も重要な他士業といえるでしょう。加えて、多くの弁護士にとって税務案件は不得手である一方で、企業再編や相続事件等、税務に関する知識が必要な事件はいくらでもあり、こういった側面からも弁護士にとって税理士は重要な士業です。

A33　「弁護士は、当然、弁理士及び税理士の事務を行うことができる。」（弁護士法3条2項）という定めがあるとおり、税理士業務は法律事務に含まれ、弁護士は特別の登録なくして税理士業務を行うことができるというのが法律上の原則です。ただし、国税庁としては、税理士でなければ、少なくとも国税庁・税務署との関係において税務に関する業務はできないと考えているようです。そのため、通知弁護士制度（税理士法51条）の利用や、税理士登録を検討する必要があります。また、弁護士賠償責任保険のタイプによっては、税理士業務について保証がされていないことがありますので、業務開始前に保証範囲を確認しましょう。

解説

Ⅰ 「実務」と「営業」の双方で税理士は弁護士にとって非常に大事なパートナーになり得る

企業にとって一番身近な士業といえば税理士であるということに、あまり異論はないと思われます。

弁護士の業務は法律事務全般に及び、紛争案件や訴訟代理に限定されるものではないですし、むしろ、契約書のチェックなどの予防法務の重要性は日々高まってきているところです。

それでも、やはり弁護士は紛争解決の専門家であり、弁護士に頼むことは紛争開始の合図であるといったイメージが、企業・個人を問わず持たれているようです（もちろん、実際にはそれ以前から紛争になっていることが多いでしょうし、弁護士が参加したからといってその時点で紛争になるというわけではありません）。

一方で、税務というものは、もちろん紛争になることもありますが、通常は紛争とは全く別の、税務申告や税務処理が中心的な領域です。

正確・適切な税務申告をするということは、まさに紛争防止の予防法務であるといえるので、少なくともこの分野に限っては、企業も予防法務の重要性を十分に認識して税理士に依頼をしているといえます。

したがって、税理士は、事実上、企業にとって日常的な予防法務を担当する士業として盤石な地位を占めているといえます。

さらに税理士は、税務の専門家であり、税務というのはすなわち税法の解釈適用にまつわる問題ですから、税法という法分野においては法律専門家であるといえます。実際問題として、何らかの法的な問題が生じた場合（弁護士法の適否の問題は別として）、最初に法律相談を持ちかける先が税理士であるという例は少なくないようです（著者の個人的な経験としても、税理士の先生から、「クライアントから法律相談を受けたのだけれども…」と相談されることがありました）。

以上のとおり、税理士は、企業にとって一番身近な士業です。そのうえ、

弁護士に相談をするべきことも、最初に税理士に持ち込まれることが少なくありません。かくして税理士は、弁護士にとって、営業という側面において一番重要な士業であるといえます。

弁護士会が企画する「他士業交流会」の企画でも、「いかにして税理士の先生に来ていただくか。税理士の先生が忙しい時期は避けましょう」という意見が出ることは珍しくありません。

以上のような「営業」の観点にとどまらず、実務上も税理士は弁護士にとって重要なパートナーとなり得ます。

税務申告が紛争性を帯びた場合、つまり、税務当局と争いになり、国税不服審判所や裁判所における案件となった場合は、弁護士の参加が重要ということになります。

また、弁護士の観点からも、相続や事業承継の場面において、税務問題が重要なトピックになることは少なくありません。このような場面においては過誤が起こりやすく、リスク回避の観点からも税務の専門家である税理士の助力が重要になってきます。

Ⅱ 弁護士単独又は税理士と協働して税務に関する案件を取り扱う場合には、資格の問題に注意をする

弁護士法3条1項は、「弁護士は……一般の法律事務を行うことを職務」と定めており、法律事務全般が弁護士の職域となります。

税理士が扱う税務というものは（会計に関する業務も含まれますが、法律上の業務独占の対象である「税理士業務」に含まれないため、この場合は問題になりません（税理士法52条、2条1項、2項参照））、法律である各種税法の要件が問題になるものであり、法律事務であることは明らかです。したがって、弁護士は、法律事務の一環として税務に関する業務を行うことができるということになり、弁護士法3条2項も「弁護士は、当然、弁理士及び税理士の事務を行うことができる。」としています。

また、そもそも租税法律主義は憲法上の原則（憲法84条）となっており、「基本的人権を擁護し、社会正義を実現することを使命とする」（弁護士法1

条1項）弁護士が、税金に関する業務を行うのはむしろ当然の帰結であるともいえます。さらに課税というのは刑事手続と同様に、国家の利益と個人の利益が激しく対立する人権に深く関わる分野です。この分野に弁護士が関与することを肯定する理由はあっても、否定する理由は見出し難いです。

　以上の法律の定め等に鑑みれば、弁護士が税理士業務を行うことには特段の制限はないように思われますが、実は税理士法上の問題があります。

　税理士法52条は「税理士又は税理士法人でない者は、この法律に別段の定めがある場合を除くほか、税理士業務を行つてはならない」と定めています。これは業務独占の定めですが、先ほどの弁護士法の規定に鑑みれば、弁護士はこの例外として税理士業務を当然に行えるはずです。

　しかし、税理士法は、さらに「弁護士は、所属弁護士会を経て、国税局長に通知することにより、その国税局の管轄区域内において、随時、税理士業務を行うことができる」（同法51条1項）と定めているところ、この定めに照らすと、弁護士は、この「通知」をしない限り税理士業務を行えないようにも思われます（このような「通知」を行った弁護士を「通知弁護士」と呼びます）。

　また、国税庁のウェブサイトには「税理士又は税理士法人でない者は、税理士業務を行うことはできないこととなっており、これに違反すると罰則が適用されます。ただし、国税局長に対して通知を行った弁護士及び弁護士法人については、一定の条件のもとで税理士業務を行うことができます」（https://www.nta.go.jp/taxes/zeirishi/zeirishiseido/seido2.htm）との記載があり、国税庁も、弁護士は税理士業務を自由に行えないという前提に立っているようです。

　さて、この点については裁判例があり、弁護士が税務調査への同席を拒まれた事案における国家賠償請求訴訟において「弁護士が当然税理士の事務を行うことができる旨を定める弁護士法3条2項の規定は、税理士法による制約を受け、弁護士が現実に税理士業務を行うについては、税理士法の手続規定に従い、同法18条の税理士の登録を受けるか同法51条1項による通知を要する」（大阪高判平成24・3・8訟務月報59巻6号1733頁〔28212757〕等）と

されています。つまり税理士法が優先し、弁護士であっても税理士業務をするには、別に税理士登録をするか、同法51条の通知をする必要があるとされています。

しかしながら、弁護士法3条1項の解釈、そして、同条2項の明文に鑑みれば、このような制限を別に設けることに合理性はなく、ある意味、矛盾した立法であると思われます（もっとも前掲裁判例は、「後法優先の原則」を用いて、弁護士法より優先していると解しているようです）。

もっとも、後法優先の原則が実際の立法で適用されることはほとんどありません。前の法律と矛盾がある場合は、その法律を改廃して矛盾しないようにするからです。例えば、「国旗及び国歌に関する法律」においては、国旗は日章旗と定められました。ところが、同法附則2項で太政官布告である「商船規則」が廃止されています。これは、商船規則に日章旗の定めがあったためです。戦前の、それも100年以上前の法律とも矛盾しないように改廃することが実務の慣例になっているにもかかわらず、税理士法と弁護士法との関係において、こういう前法を改廃しないことは説明がつきません。解釈として矛盾しないように、「通知」をせずとも税理士業務を行えるようにする（ただし税理士とは名乗れない）と解釈するべきでしょう。

また、弁護士がこの「通知」をした場合、税理士業務については、国の監督に服することになります（税理士法51条2項）。これは、弁護士自治に悖り、課税という権力と市民とが激しく対立する局面も予想される場合において、課税当局の監督に弁護士が服するということは、弁護士の独立性を害しかねないものであって、市民の利益を害しかねない制度です（仮に、弁護士が刑事弁護をするに当たって、「刑事弁護人」として検察庁に通知し、検察庁の監督に服することを求められるという制度を想定すると不当性は明らかであると思われます）。

著者としては、同法51条1項の通知がなくとも弁護士は、税理士業務を行うことができると解するべきであると考えます。

ただし、残念ながら裁判例は消極であり、この通知又は税理士登録をしないと、税務調査への立会いにも差し支えが生じることになります。

　　　　　　　　　　　　　　　　　　2　他士業と一緒に仕事をするときの注意点

　したがって、税理士業務、特に税務調査への立会いを行うことを考えている場合は、通知又は税理士登録をしておくべきです。

Ⅲ　税理士業務を行うに当たっては保険にも注意

　現在、ほとんどすべての弁護士は、弁護士賠償責任保険に加入しています。ご存じのとおり、弁護士賠償責任保険は、「弁護士業務」において事故が発生し賠償責任を負担することになった場合に、保険金でてん補されるというものです。

　保険の対象は「弁護士業務」ですが、特約で一部の業務を保険対象から外すと保険料が割引になるという仕組みになっているものがあります。登録あるいは独立当初に契約をしたままという状態だと、当初は「税理士業務は行わない」ということで、税理士業務を保険の対象から外したままである可能性があります。

　ついては、税理士業務を始める前に、保険については、どの範囲まで保障されるか確認をしておくべきでしょう。

⑹　その他士業との協業

Q34	その他、他士業、他の有資格者との協業について、注意すべき点を教えてください。
Q35	民間資格を有している者から、相続・遺言等の問題について、提携の申出や依頼者の紹介を受けることがあるのですが、どのようなことに注意をしたらよいでしょうか。

▼

A34	司法書士や税理士との協業と同じく、その有資格者は何ができるのかを知り、お互いの資格で行える業務の範囲内で協業をするということが大事です。なお、資格の中には、名称独占の

75

第 2　他士業との境界線と非弁行為に対する対処方法

みで業務独占がない場合もあるので注意が必要です。意図せず非弁提携に巻き込まれないようにするには、協業先が過去にどのような業務を取り扱ってきたか聞いてみたり、調べてみることも有効です。

A35　民間資格は法律上の資格ではないので、法律により、禁じられている業務を行うことができません。最近、いかにも、一定の分野の法律事務が取り扱える専門家のような名称の「資格」を、高額な受講料・検定料と引換えに「付与」している業者があるようです。関わり方によっては、非弁提携になる可能性があるので注意が必要です。

解説

I　どんな他士業、有資格者との協業の場合でも、注意点は共通している

これまで、司法書士や税理士との協業の重要性と注意点について説明をしてきましたが、それ以外の他士業や有資格者との協業でも全く同じことが当てはまります。

要するに「それぞれできること、できないこと」を把握する必要がある点、非弁提携にならないように注意をするという点では共通です。

もっとも、これらに加えて注意するべき点としては、弁護士側が資格外の業務を行ってしまうという点が挙げられます。司法書士も税理士も、基本的には（一部の）法律事務を取り扱うのであって、協業において、逆はともかく、弁護士側が資格外の業務を行ってしまうことは想定し難いと思われます。

ですが、数ある国家資格を見渡すと、むしろこのような関係にあることはまれです。ですから、逆に、弁護士の方が無資格で業務をすることになってしまわないよう注意が必要でしょう。

Ⅱ　最近増えている民間資格に要注意

　最近、○○士などと標榜して、その資格を取得すると、一定の専門分野（特に法律事務が多いです）について取り扱うことができるようになるかのような民間資格を売り込んでいる業者があります。その「○○士」という「称号」について、商標登録をすることで、名称独占を実現しているようです。資格の取得には試験のほか、指定の講習の受講が必要であり、これらの受験料や受講料が収益になっているようです。

　基本的に、サムライ商法の問題はあるものの、民間業者が、独自に検定を実施して、何らかの「資格」「称号」を付与すること自体は、法的に問題はありません。特に前提として国家資格を要求するものはなおのこと問題がなく、以下に述べるような、非弁問題を回避しているといえます。

　ですが、法律分野、特に相続や遺言関係が最近多いのですが、その資格をとると、あたかも国家資格が必要な法律事務の取扱いができるかのように宣伝をしている例が散見されます。

　当然、民間業者が法律を書き換えることはできないので、そのような民間資格をいくらかき集めても、弁護士法72条に定める法律事務取扱規制を無視することはできません。

　ケースとしてはまれでしょうが、このような民間資格者が案件に関与してきた場合は、無権代理等を主張して、手続・交渉から排除するべきであるということになると思われます。

　さらに、弁護士として気をつけなければならないのは、このような民間資格の中には「各専門家とのネットワーク」「調整」「提携」などを標榜しているものもあるということです。つまり、その民間資格を取得すれば、同法72条で禁じられた法律事務の取扱いのみならず「周旋」もできるかのように誤解させるというものです。

　こういった情報を真に受けた者から、事件の紹介などを受けたりすると、同法27条や弁護士職務基本規程11条〜13条に違反することになりかねません。

　弁護士として、明らかに同法72条に違反する者から紹介を受けるというこ

とはなかなか考えにくいのですが、先に説明したとおり、同規程11条の規制範囲は非常に広範です（第2－2(2)Q26参照）。きちんと調べれば、紹介元が別のところで非弁行為をしていたということがわかったはずだというケースでも、同条違反になりかねません。ですから、このような民間資格を特に積極的に名乗る者からの紹介に対しては、極めて慎重になるべきです。

3　非弁業者／他士業との業際問題への正しい対処方法

3 非弁業者／他士業との業際問題への正しい対処方法

(1)　はじめに

Q36　非弁行為（非弁護士が、弁護士でないと行えない業務をする行為）はいまだに流行しているのでしょうか。債務整理・過払金返還請求が落ち着いた今、さほど多いとは思えないのですが。

Q37　これだけ弁護士が増えたにもかかわらず、非弁行為が流行する、非弁行為がビジネスとして成立するのはなぜでしょうか。

Q38　非弁行為であっても、事件の解決につながるのであれば、それはそれで問題ないのではないでしょうか。

▼

A36　非弁業者が手を出しているのは、債務整理・過払金返還請求事件だけではありません。様々な法律問題に手を出しています。最近の傾向としては、「賃料減額コンサルティング」を標榜して法律事務を取り扱う者、あるいは、インターネットの投稿の削除請求を取り扱う者、相続問題や遺言を取り扱う者などが増えてきています。むしろ、市民の権利意識、法律問題への関心の高まりに比例して、非弁業者が暗躍する機会が増えてきているようです。

A37　弁護士は法律事務の取扱いにおいて、弁護士倫理（を具体化したものである弁護士職務基本規程や他の弁護士会の会則）を

79

遵守する義務があります。一方で、非弁業者にはそのような義務はありません。弁護士は、依頼者のためであっても、証拠を偽造する等、不当な処理をすることはできませんが、非弁業者にはそのような規制はありません（ただし、程度により不法行為ないし債務不履行の問題が生じることはあるでしょう）。また、広告についても厳重な規制がなく、結果が出ることを請け負って受任することもできます。このようにルールを守らずに集客・処理できることが、非弁行為がビジネスとして成立する理由です。

A38　いいえ。非弁行為に基づく合意等、つまり「解決」は、無効であるとされる可能性もあり、しかも処理方法が不当であるため、後日の紛争の火種になります。非弁行為は、事件が解決したように見せかけるだけであって、事件を解決できるものではありません。

解説

Ⅰ　いまだに手を変え品を変え、横行する非弁行為

　非弁提携について、いまだに流行する理由は既に解説した（第1-2(1)Q9）とおりですが、弁護士が関与しない非弁行為についても、いまだに手を変え品を変えて流行しています。

　非弁行為や非弁提携問題について弁護士と話し合うと、たびたび「そんなこといっても、いまどき、非弁行為なんか儲かるのですか？」「もう債務整理も過払金返還請求も下火ですから、いまさら非弁行為をする人なんかそんなにいないのではないですか？」と尋ねられます。

　確かに、一時期は債務整理・過払金返還請求において、非弁行為が全盛を極めていましたが、今はそのようなケースは相当少なくなってきました。

　ですが、世の中に紛争やその原因、あるいは紛争予防のニーズがある限

り、弁護士をはじめとする法律家の仕事はなくなりません。そうなると、当然、非弁業者の割り込むチャンスというものもなくなりません。

特に、日本社会の性質として、市民は相当の遵法精神や、法的な何かを尊重する気風があり（デタラメであっても、「法律的な用語」を並べ立てた架空請求の被害がなくならない一因かもしれません）、加えて、昨今、法律問題に関する意識、権利意識が非常に高まってきたということがあります。

そうすると、自分が抱えている問題は法律で解決できるのではないかと考えつく市民も増えてきます。それ自体は、もちろん非常に健全なことで、悪いことではありません。むしろ、近代市民社会のあるべき姿であると思われます。

しかし、病気になれば病院へ、というようなことと比べて、裁判前であっても法律問題は弁護士に相談すべき、という意識は、まだまだ社会には浸透していません。

そこで、市民の法律意識・権利意識の高まりと、法律サービス提供者としての弁護士の認知の低さ、この間隙を突いてはびこるのが非弁業者であるという構造になってくるというわけです。

Ⅱ　最近の非弁行為のトレンド

非弁行為には様々なトレンドがあります。

数年前からあり、現在では数が少なくなったもののいまだに残っているのは、探偵業の資格（届出）を悪用して「詐欺被害解決」を標榜するケースです。もちろん、詐欺業者を調べることを業とすること、それについて報酬を受けること自体は、探偵業としては問題ありません。

ですが、広報の方法として、被害金の取戻し・請求をも業務にしていたり、あるいは、そうであると誤解させたりする違法なものも散見されます。

前者であれば非弁ですし、後者であれば詐欺ということになります。このような広報の字句どおりの業務をやれば非弁行為であるし、そのように誤解させるならただの詐欺というのは非常によくあるパターンです。

その他、一時期大いに流行ったのが、「賃料減額コンサルティング」など

と標榜して、建物賃貸借契約における賃料の減額交渉を請け負うというものがあります。

不動産市場の激変という前提があり、かつ、「あくまでただの交渉であり裁判ではないので弁護士の仕事っぽくない」という印象があり、法的事項に関する「鑑定」に類する行為であっても「コンサルティング」という言葉で置き換えてごまかしやすいという事情から流行したのではないかと思われます。

また、最近増えているのは、インターネットの普及と問題の多発を受けての、インターネット上の違法な投稿の削除代行業を標榜するもの、高齢社会を踏まえての遺言や相続についての法律事務を取り扱うもの、また、離婚等の家事事件の調停についてコンサルティングと称して法律相談・鑑定を実施するものがあります。

いずれも、弁護士の業務の典型は訴訟代理であるとの認識、そして、法律相談や法律事項に関する鑑定が「コンサルティング」と言い換えやすい点が利用されていると思われます。加えて、原則としてこれらの業務が弁護士の独占業務となっていることが市民によく知られていないこと、さらに「弁護士に依頼すると大事になってしまう」という消費者心理をもうまく突いているのではないでしょうか。

もちろん、非弁行為は正当化できるものではありませんが、このような非弁行為が出てくる背景について考えると、弁護士としては、普段の業務や広報のあり方について、改善の余地があるようにも思われます。

Ⅲ　非弁行為がいまだに「ビジネス」になる理由

非弁提携であれば、利用者である市民だけではなくて、最後に弁護士も「食い物」にすることで利益を上げられるということは解説したとおりです（第1−2(1)Q9）。

それでは、そのような食い物にする弁護士がいない場合、つまり通常の非弁行為をする非弁業者はどのようにして利得を得るかというと、それは、ずさん、不当な処理や誇大広告であるということになります。

まず、ずさんな処理についていえば、弁護士には、事件処理について、利用者の最善の利益を図るべきことが義務付けられ、さらに資格要件が定められるとともに、弁護士会の監督に服し、職務の適性が図られるような制度的手当・担保がなされています。

一方で、非弁業者は、資格がないか、あっても、そもそもその資格で行えない業務を行う以上は、そのような監督や規制が一切及びません。

また、法律事務というのは、その性質上、1つとして全く同じ事件はなく、「何が最善の手段か」を客観的に明らかにすることが難しいことが少なくありません。さらに市民にとっては、一生にそう何度も法律事件を専門家に依頼することはないでしょう。

そうすると、ずさんな処理をされても被害に気がつきにくく、ますます気がつかれないことでずさんな処理がより横行することになります。非弁提携事案で、非弁提携業者の「売上げ」が報道されると、「非弁（提携）ってそんなに儲かるの？」「どうやって、そんなに儲けたんだろう？　純粋な弁護士よりすごい（！）」みたいな声が聞かれたりもします。そのカラクリは、まさにここにあります。つまり、ずさん処理をしたり、さらには、和解金をごまかして横領したりするなどです。もちろん、非弁提携業者は、ばれそうになると、すべての責任を弁護士に被せて逃げる、ということになります。弁護士には債務だけが残るというわけです。

さらに弁護士は、依頼者から報酬を受けて、依頼者のために業務を行う以上は、依頼者の最善の利益のために事件処理をする義務を負います。ですが、これは、依頼者の利益になれば手段を選ばなくてもよいということではなく、あくまでここで実現すべきは、依頼者の「正当な利益」（弁護士職務基本規程21条）という限界があります。

このような限界がある理由については、弁護士には専門家としての広範な裁量権のほか、公共的役割もあると説明されています（日本弁護士連合会弁護士倫理委員会編著『解説弁護士職務基本規程〈第3版〉』（2017年）47～48頁）。

しかし、もちろん非弁業者はそのような義務を負担しません。ですから、

83

例えば、正当な理由もなくアポイントメントもとらずに相手方の自宅に押しかけるとか、待ち伏せをして飲食店等に連れ込んで「合意書」に署名押印を求めるなど、非常に不適切な処理をすることも（後日紛争になる、不法行為になる可能性があるとはいっても）可能であるということになります。

弁護士としても、「相手方の勤務先に手紙を送ってほしい。押しかけてほしい」など「不当処理」の希望を述べられた経験がある方も多いと思います。非弁業者は、そのようなことでも請け負ってしまうので、「弁護士は高いし役に立たない」という宣伝を許してしまうことにもなっています。

次に、広告の問題についていえば、弁護士は「弁護士等の業務広告に関する規程」というものがあり、してはならない広告について、非常に詳細な定めがあります。また、同規程13条には、「会長は、この規程の解釈及び運用につき、理事会の承認を得て、指針を定めることができる」との定めがあり、それを受けて「業務広告に関する指針」（平成24年3月15日理事会議決・平成30年1月18日改正）も定められています。

非弁業者には、このような規制も一切ありませんので（各種消費者保護に関する法律の適用があるとはいえ）、弁護士であれば絶対に許されないような、結果を請け負ったりする広告も出し放題であるということになります。

以上をまとめると、集客においても事件処理においても、非弁業者は弁護士と異なり、ほとんどの規制を受けずに行えて容易に消費者を食い物にできるからこそいまだにビジネスになるということがいえます。

Ⅳ 非弁行為の最大の被害者は利用者

非弁行為であっても、「それで事件が解決するのであればよいではないか」という意見があります。

しかしながら、そもそもⅢで述べたように、処理が不当である以上それは適法ではなく、解決であると評価することはできません。

一見解決したように思えても、相手方は、その不当性・違法性を主張し、合意があればその無効を主張することになります。そうなった場合、容易に紛争は蒸し返されることになります。

3　非弁業者／他士業との業際問題への正しい対処方法

　また、非弁業者は、「弁護士は高い」などと述べることも珍しくありませんが、実際には、「サービス」範囲が非常に限定されている、追加料金を請求されるなどで、非弁業者の方が弁護士より高額である場合が多いです。加えて、そもそも前記のように後で合意をひっくり返されるリスクがあるので、非弁業者は「高くつく」ということがいえます。

　このように、非弁行為は、単に弁護士の縄張りとか業務範囲の問題ではなく、消費者被害の問題でもあるといえます。

(2)　相手方に非弁業者が登場した場合の対応について

> **Q39**　相手方の「代理人」として非弁業者が登場した場合の対応を教えてください。
>
> **Q40**　相手方について、「代理人」としてではないのですが、コンサルタント等の名目で同席を求める者が登場した場合の対応を教えてください。

▼

> **A39**　弁護士法72条に違反するということ、代理権授与行為が無効であるため代理権もなく、そのような無権代理の者とは交渉できないことを証拠に残る形でしっかりと伝えるべきです。このとき、弁護士の縄張りを侵すからというのではなくて、「無権代理となり合意が無効になる。双方にとって不利益である」ということを、相手方本人にも伝えるように心がけてください。
>
> **A40**　立会いだけで交渉の結果が無効になるということは考え難く、基本的に、排除するということはできないと思われます。しかし、交渉等連絡の一切は、その者ではなく相手方本人に対してするようにしてください。

解説

I　はじめに－非弁業者が関与することによるリスク等について

　Q39以降では、非弁行為をする者が関与してきた場合の問題点、対応方法について扱います（ただし、司法書士の本人訴訟支援の問題については特殊かつ重要ですので、第2-1(5)Q22～Q24で別に解説しています）。

　非弁業者が交渉に関与することによる不利益は、大きく2つあります。合意が無効になる可能性があることと、不適切な交渉が行われる可能性があることの2点です。

　前者は法的な問題で、Ⅱで詳しく解説します。後者については、看過されやすいのですがこれはこれで重要な問題です。

　既に解説したとおり、非弁行為がビジネスとして成立するのはその処理が違法・不当・不適切であるからです（第2-3(1)Q37）。

　この不適切というのは、「敵失」でこちらが有利になること、例えば、相場より安い和解ができるなどのケースもあります（もっとも、これに乗じることは弁護士倫理上の問題がないとはいえません。これについてもⅡで論じます）。しかし、そうではないこともあります。

　問題なのは、職場にプライバシーに該当する事実を告げるなど無関係の第三者を巻き込んだり、自宅に押しかけるなど不適切な交渉手段を用いられたりする可能性があるという点です。非弁業者と漫然と交渉した場合、そのようなリスクがあります。

　また、そもそもそのような交渉というのは、「裁判になったらどのような帰結になるのか」「執行の難易、資力の問題」など、そのような予想をお互いが立てて、いわば「落としどころ」を探るという作業が必要になります。

　ですが、もちろん非弁業者は訴訟代理ができません（認定司法書士の資格を悪用するタイプの非弁業者であれば、簡裁に限って訴訟代理ができる場合もありますが、珍しいでしょう）ので、そのような相場観や見通しを立てることができません。

　交渉で合意が成立するためには、双方が合理的・理性的、それでいて十分

な前提知識を持つことが必要です。非弁業者との交渉では、この前提が成り立たないことがほとんどでしょうから、「非弁業者を排除しても面倒になるだけ」と思って排除しないと、かえって時間がかかってしまうことにもなりかねません。

Ⅱ　非弁行為をする者を代理人として、漫然と交渉をすることは弁護過誤になりかねない

相手方の自称「代理人」が、弁護士法72条に違反する法律事務の取扱いとして「代理」をしていた場合、それは無権代理となる可能性があります。

すなわち、同条は刑罰法規であるところ、それに違反する委任契約は民法90条に違反して無効となります（最一小判昭和38・6・13民集17巻5号744頁〔27002019〕）。

したがって、委任契約が無効である以上は、委任契約を前提とし、一体としてなされた相手方本人の非弁業者に対する代理権授与行為もまた無効となります。

そうすると、無権代理ということになりますので、非弁業者と交渉をして合意が成立したとしても、後ほど紛争が蒸し返されるということになりかねません。

ただし、弁護士法72条違反の行為が必ずしも無効になるかというと、この点については争いがあり、公序良俗に反するというような事情があれば無効になるという見解（最一小判平成29・7・24裁判所時報1680号1頁〔28252248〕）や、そういった留保のない見解（松江地判昭和40・5・27判時422号52頁〔27440887〕）もあります。

もっとも、これらは、「既に行われた非弁行為について有効か無効かの判断をする、対策を練る」という場面で考えるべきことです。これからする行為ということであれば、あえて非弁行為をする者を代理人と認めて交渉をするメリットはほとんどありません（むしろ、不適切な交渉をされて、余計な時間を費やすリスクがあります）。

ですから、有効になる余地があるとしても、非弁業者による代理交渉は認

めるべきではないでしょう。安易に応じた場合は、自分の依頼者に無効主張のリスクを負わせることになりかねず、一種の弁護過誤ともいえます。

また、やや広きに失し、直ちに賛同できる解釈ではないのですが、弁護士職務基本規程11条は非弁行為をする者の「利用」を禁じています。そうすると、理論的には、相手方の自称「代理人」が非弁行為をする者であった場合、これを漫然と看過して交渉を継続して事件処理をすることは、広い意味では非弁行為者を「利用」したとして、同条違反ということにもなりかねません（もっとも、同条が本来想定している場面ではなく、非弁行為者と相手方本人の誤解に乗じて合意を成立させるなど、特に不当であるというような特段の事情がない限り、適用することは不相当だと思われます）。

ところで、拒絶する意思の通知先ですが、非弁業者に通知をしても実効性はありませんので、相手方本人にすべきです。

Ⅲ　弁護士職務基本規程52条との関係

ところで、弁護士職務基本規程52条には「弁護士は、相手方に法令上の資格を有する代理人が選任されたときは、正当な理由なく、その代理人の承諾を得ないで直接相手方と交渉してはならない」との定めがあります。

そうすると、非弁の疑いがある者を排除して、相手方本人と交渉をしようとする場合、この規程に抵触する可能性が問題になります。

これはどういうことかというと、非弁行為であるか、つまり弁護士法72条に違反するかどうかは、直ちに確定することが難しいこともあります。それは、同法72条が要件として報酬目的や業務性を要求しているところ、これらの事情は、代理人を自称する者からの通知文などから直ちに判断することが難しいこともあるからです。

そうすると、この判断が結果的に誤っていた、つまり、同法72条に違反する代理であり、無権代理だと思いきや、実は業務性や報酬目的性がなく、同条に違反していなかったということもあり得ることになります。

そうすると、相手方「代理人」には真実代理権があった、つまり代理人であったにもかかわらず、これを無視して「直接相手方と交渉」したというこ

とになり、同規程52条に違反したといえるのではないかという問題になります。

　これについては、同規程52条にいう「法令上の資格を有する代理人」の意味について、「本条は、法令上の資格を有する代理人が選任された場合の規定であるから、民法上の代理権を付与された者がいる場合の関係は、本条の規定するところではない」（日本弁護士連合会弁護士倫理委員会編著『解説弁護士職務基本規程〈第3版〉』（2017年）154頁）と解釈されています。

　ですから、結果的に同法72条違反ではなかった場合に、直接相手方に通知を出しても、直ちに同規程52条違反にはならないということになります。

　もっとも、非弁行為の指摘が間違っていると不要なトラブルになる可能性がありますので、最初の通知では、「疑いがある」という程度の表現にしておくなど、疑義の程度により表現には工夫が必要だと思われます。

Ⅳ　同席を拒むことは難しい

　次に、代理ではなくて法律相談つまり「鑑定」などをやっていると思われるコンサルタント等を自称する者が、代理交渉はしないが交渉の場に「同席」をしたいという場合は、どのように対処するべきでしょうか。

　基本的に無権代理の問題などが生じにくく、弁護士としては特に拒む理由を見つけることは困難であり、また、同席を認めても実害はあまりないのではないかと思われます。

　ですから、基本的には同席を認めつつも、実際に会話するのは相手方本人に限る、交渉に関与する場合は非弁行為の可能性・無権代理の可能性を指摘して「双方にとって不利益になりかねない」ということを強調して関与を拒むというのが相当でしょう。

　なお、その者がそれでも関与をしようとする場合は、交渉を打ち切るか、あるいは、調停・訴訟など、制度的に非弁行為者を排除できるような手続に移るということも効果的です。

V 非弁業者を排除するコツ

以上、いろいろと解説してきましたが、非弁業者の関与を排除するコツ、その鍵は、相手方本人にあります。

非弁業者が関与している場合、その一番の被害者は他ならぬ相手方本人です。無効リスク等を丁寧に説明することができれば、基本的には理解が得られやすいのではないかと思われます。

逆に、非弁業者は自分が非弁行為をしているとは容易に認めるわけがありませんので、これを説得しようとは考えない方がよいでしょう（むしろ、説得が必要なことではありませんし、説得できなかったら、あきらめて非弁業者と交渉するというのは、弁護士の善管注意義務にも反するというべきです）。

(3) 行政書士との関係

Q41 行政書士の業務範囲には、「権利義務又は事実証明に関する書類（実地調査に基づく図面類を含む。）を作成すること」（行政書士法1条の2第1項）が含まれるとのことですが、具体的には書面作成についてどの程度の関与ができるのでしょうか。

▼

A41 司法書士の裁判書類作成の場合と同じく、法的な常識に基づいて言い分を整理する程度の範囲に限られると考えられます。

解説

I 他士業の資格を悪用する非弁業者

非弁業者の中には、他士業の資格や、探偵業の資格（届出）を悪用して、

あたかも法律事務が取り扱えるかのように装う者があります。

また、他士業の中には、弁護士法72条の例外として法律事務の一部が行うことができる者があります。その境界の解釈には争いが多く、非弁行為に該当するか判断が難しいケースも少なくありません。

司法書士の問題については、既に第2−1(5)Q22〜Q24で解説したところですが、実務上、より問題になることが多いのは行政書士との関係です。

行政書士は、「権利義務又は事実証明に関する書類（実地調査に基づく図面類を含む。）を作成することを業とする」（行政書士法1条の2第1項）と定められています。

また、他に、行政機関に提出する書類の作成ができます（同法1条の3）が、弁護士との職域との関係、非弁との関係で専ら問題になるのは、前記の同法1条の2第1項の「権利義務又は事実証明に関する書類」の作成業務がほとんどです。

この「事実証明等に関する書類作成であるから非弁行為ではない」という主張がしばしばなされるため、この範囲の解釈が問題となります。

Ⅱ　弁護士法と行政書士法との関係

弁護士法と行政書士法の関係について、司法書士法と同じく、行政書士法1条の2は弁護士法72条の特則であると解釈すべきですが、これとは反対に、特則ではない、つまり、同法72条で禁じられる業務は行政書士といえども一切行うことができないとする裁判例もあります。

この裁判例は「行政書士法1条の2第1項の『権利義務又は事実証明に関する書類』に該当するか否かは、他の法律との整合性を考慮して判断されるべき事柄であり、抽象的概念としては『権利義務又は事実証明に関する書類』と一応いえるものであっても、その作成が一般の法律事務に当たるもの（弁護士法3条1項参照）はそもそもこれに含まれないと解するのが相当である」（大阪高判平成26・6・12判時2252号61頁〔28231763〕）と判示しています。

この解釈によると、行政書士は、法律事務に該当しない「権利義務又は事

実証明に関する書類」の作成しかできないということになります。しかし、法律事務に当たらないような「権利義務……に関する書類」の作成というのは想定することは難しいと思われます。

そうすると、実質的に行政書士法1条の2第1項の適用範囲がかなり狭まることになりますので、解釈としては疑問が残ります。

そこで、以下では、同法1条の2は弁護士法72条の特則であると考え、「権利義務又は事実証明に関する書類」であれば法律事務に当たっても取り扱うことができると解釈し、行政書士の業務範囲として適法に行える範囲は同条の解釈に基づく、という前提で以下解説します（ただし、裁判例の解釈によったとしても、行政官庁との関係業務については業務範囲となりますので、必ずしも不当な解釈であるとまでは断じることはできないでしょう）。

Ⅲ　行政書士と内容証明郵便作成業務①－そもそも内容証明郵便の作成業務は、弁護士法72条で規制されるか

他士業の業務範囲内外の検討については、以前に解説したとおりそもそも弁護士法72条の適用があるかを検討し、その適用があるとして、当該他士業の業法で許可されるのかどうかを検討するという流れになります（第2-1(5)Ⅱ参照）。

なお、以下は、基本的に業務性・報酬目的性はあるという前提で検討をします（基本的に、他士業が行う場合に、これらがないことはまれであるためです）。

典型的に多いのは、内容証明郵便で請求等を行う場合です。

まず、法律事件該当性について検討します。

内容証明郵便で請求等を行うというのは、通常であれば、「広く法律上の権利義務に関し争いがあり、疑義があり」（広島高決平成4・3・6判時1420号80頁〔27811550〕）ということがほとんどだと思われます。

また、そうでなくても、契約の解除等であれば、これにより「新たな権利義務関係を発生させる案件」（前掲平成4年広島高決〔27811550〕）ということに不足はないでしょう（以上についての詳細は、第2-1(1)Q13Ⅲ参照）。

そうすると、法律事件該当性は問題なく認められることがほとんどであると思われます。

次に、法律事務に当たるかですが、仮に代理人として文面上に表示・行動したのであれば、法律事務の一類型である「代理」に該当することになります。

また、代理人として表示・行動しなかった場合でも、「法律上の効果を発生変更する事項の処理」（東京高判昭和39・9・29高裁刑集17巻6号597頁〔27817462〕）又は「確定した事項を契約書にする行為のように、法律上の効果を発生・変更するものでないが、法律上の効果を保全・明確化する事項の処理」（日本弁護士連合会調査室編著『条解弁護士法〈第5版〉』弘文堂（2019年）654頁）に当たれば、法律事務に該当することになります。

そうすると、契約の解除のような行為であればもちろんのこと、従前から請求等をしていても相手方がこれに応じない場合、請求の事実を内容証明郵便という形式で確定し明確にしておくということになれば、やはり法律事務に当たると思われます。

逆に、内容証明郵便の作成発送が弁護士法72条の適用範囲に当たらない場合があるとすれば、内容証明郵便という形式をとるにもかかわらず、法律上の効果を発生・変更させない、法律上の効果を保全・明確化させない、あるいはそのいずれもさせないものということになります。ですが、内容証明郵便の性質上、そのようなケースは想定し難いでしょう。

したがって、内容証明郵便作成業務は、原則として同法72条の定める法律事務に該当すると考えるべきです。

Ⅳ　行政書士と内容証明郵便作成業務②－内容証明郵便の作成業務は、行政書士法1条の2第1項の業務に該当するか

この問題については、司法書士に関する裁判例が参考になります。司法書士も一定の書類を作成することを業務とする士業であり、その解釈論は、行政書士においても同様に妥当すると考えられるからです。

すなわち、書面作成業務における関与の程度については、「嘱託人の嘱託

の趣旨内容を正確に法律的に表現し……法律常識的な知識に基く整序的な事項に限つて行われるべきもので、それ以上専門的な鑑定に属すべき事務に及んだり、代理その他の方法で他人間の法律関係に立ち入る如きは司法書士の業務範囲を越えたものといわなければならない」（高松高判昭和54・6・11判時946号129頁〔27817580〕）と判示されています（詳細は第2-1(5)Ⅳ参照）。

　そうすると、行政書士についてもこれを参考に解釈すると、内容証明郵便の作成、すなわち「権利義務又は事実証明に関する書類」の作成に当たっては、請求・送付先、その求める内容を聞き取り、それについて相手方に誤解が生じないように、あるいは、送付の事実・内容を証明するに際して差し支えがないように、内容を整序する程度の関与は許されるということになります。一方で、これを越えて、法的にどのような事項を記載するとか、請求の内容・程度について相談に応じ、提案し、法的判断をすることは許されないということになります。

　以上によれば、適法に行える業務範囲としては、クーリングオフであるとか、契約違反の事実が明らかなケース（代金の支払がない売買契約など）について解除の意思表示をするようなものか、あるいは、本人の希望に沿って和解の提案を内容とする書面を作成する（ただし交渉はできない）程度にとどまると考えられます。

Q42　　行政書士は、契約書の作成や内容証明郵便の作成を業とすることはできるのでしょうか。

▼

A42　　全くできないということではありませんが、代理して交渉をしたり、書面の作成について「法的な常識に基づいて言い分を整理する程度の範囲」を越える関与をしたりすることはできず、実際には、ごく単純な契約違反の場合における債務不履行

解除やクーリングオフの書面など、定型的な意思表示の場合に限られると思われます。

解説

I　行政書士と契約書等の作成業務

　次に、契約書や遺言状などの法的文書の作成について検討をします。

　これらの文書も契約書であれば、「法律上の効果を発生」する案件であり、かつ、作成により「法律上の効果を発生変更する事項の処理」をしたということになりますので、弁護士法72条の適用は問題なく認められることになります。

　なお、既に契約締結済であるが、それをこれから書面にするという場合でも、案件としては「新たな権利義務関係を発生させる案件」であることに違いはありません。法律事件の該当性は、実際に「これからする行為」が法律事件に関するものであるかどうかという案件の種類の問題です。ですから、この場合も案件としては「契約締結」についてのものなので「新たな権利義務関係を発生させる案件」といえるという理解に基づきます。

　そして、契約書の作成という行為自体は、「確定した事項を契約書にする行為のように、法律上の効果を発生・変更するものでないが、法律上の効果を保全・明確化する事項の処理」ということはできますので、法律事務として同法72条の適用に差し支えはないといえます。

　遺言状については、遺言というのは死亡という事実により初めて法律効果が生じますが、これもその時点において「新たな権利義務関係を発生させる案件」といえますので、法律事件の該当性は認められます。

　一方で、死亡という事実により初めて法律効果が生じる以上は、遺言状の作成の時点では「法律上の効果を発生・変更する事項の処理」ということは難しいかもしれません。ですが、少なくとも、死亡時の「法律上の効果を保全・明確化する事項の処理」といえますので、法律事務であるということも認められると考えられます。

そうすると、契約書や遺言状についても、その関与の範囲については第2-3(3)Q41Ⅳの議論が妥当するということになります。

Ⅱ　弁護士法72条の適用がない事実証明の文書作成について

例えば、家系図の作成や写真撮影の報告書がこのような書類に該当します。

これについては、弁護士法72条の適用がない以上は、当然行うことができるということになります。

もっとも、作成する行政書士の法的判断を含んだり、それを前提にして作成したりするなどの場合には問題が生じ得ますが、そうでなければ基本的に問題になることは想定し難いと思われます。

Ⅲ　前掲平成26年大阪高判〔28231763〕に基づく帰結

Q41に挙げた同裁判例によった場合は、法律常識的な整序の範囲であっても、行政書士が、内容証明郵便の作成や契約書の作成に関与することは弁護士法72条に違反するということになります。

そうなると、Ⅱに定めるような範囲に限定されるというのが帰結になります。

Ⅳ　行政書士法1条の3第1項4号の「相談」

なお、行政書士法1条の3第1項4号は「前条の規定により行政書士が作成することができる書類の作成について相談に応ずること。」と定めています。

同号の解釈ですが、あくまで「前条の規定により行政書士が作成することができる書類の作成について」との限定がありますので、第2-3(3)Q41Ⅳで述べた程度の範囲、つまり、法律常識的な整序の範囲についての相談に限られ、具体的には、形式的・書式に関する程度の相談に限られるということになります。

4 非弁リスクのある企業との付き合い方の注意点

> **Q43** 会社の顧問弁護士になる場合、非弁提携規制の関係ではどのようなことに気をつけなければならないでしょうか。

▼

> **A43** 非弁提携規制は、非弁規制よりもはるかに広範かつ厳重です（第2-2(2)Q26）ので、その会社の非弁行為のために、顧問弁護士としての表示を含めて、自分の名前等が利用されないように気をつける必要があります。

解説

I 顧問弁護士への就任と弁護士倫理

基本的に、顧問弁護士に就任している会社が違法行為をしただけでは、弁護士倫理に違反するということはありません。

弁護士と顧問先を含む依頼者の違法行為との関係、その規律については、弁護士職務基本規程14条は「弁護士は、詐欺的取引、暴力その他違法若しくは不正な行為を助長し、又はこれらの行為を利用してはならない」と定めています。

ですから、違法行為を指導するとか、そそのかすとか、そのような行為でもない限り、倫理上の問題は基本的には生じないというのが前提です。

もっとも、顧問先が違法に当たる行為をしようとしているのに、それを漫然と看過することは、委任契約上の善管注意義務違反に問われる可能性があると思われます。

Ⅱ　顧問弁護士への就任と非弁行為は、特に厳しい規律に服している

　ところが、非弁行為の問題については、既に解説したとおり特に厳しい規制があります（第2-2(2)Q26）。

　したがって、非弁行為を援助助長するような行為は弁護士職務基本規程14条に違反しますが、その程度に達しない場合であっても同規程11条に違反するケースが出てきます。

　同規程11条は、非弁（提携）行為をし、あるいは、その疑いがある者に対して弁護士が名義を使わせたり利用させたりすることを禁じているところ、顧問弁護士への就任が、この「名義を使わせる」あるいは「利用」という行為に該当するという問題が出てきます。

Ⅲ　非弁（提携）行為をする企業が弁護士と顧問契約をする例は増えている

　非弁（提携）行為をする企業の中には、非弁行為の相手方からの非弁行為であるとの指摘を回避するため、あるいは、非弁規制について知らない相手方に対して自己の行為の適法性に疑いを持たせないために、弁護士との顧問契約を利用する者があります。

　具体的には、弁護士と顧問契約を締結し、さらに、これをウェブサイト上などに表示したり、具体的な非弁行為の過程（交渉・請求など）で顧問弁護士の名前を出したりして、非弁行為を「スムーズ」に行うための道具として弁護士を利用している例が散見されます。

　以前、著者が見た例の中には、明らかに無資格で債権回収業に類するようなことをやっている業者のウェブサイトに「顧問弁護士　某」との表示があり、顧問弁護士からの指導の下、債権回収を行っているとの表示をしているということがありました。

　もちろん、顧問弁護士がいたとしても、そのことは弁護士法72条の適用除外にはなりませんので、非弁行為であることには変わりはありません。それどころか、弁護士の名前を利用しているという点でより悪質であるということになります。

Ⅳ　弁護士法令で注意を要する企業との関わり方

　最近、退職代行など、やり方によっては、弁護士法令、あるいはそれ以外の法律との関係で、適法性に疑義のある業務を行う企業が増えています。

　弁護士法も業法の一種であり、については、こういう弁護士法との関係で注意を要するであろう企業から相談を受け、見解を伝える、あるいは法律顧問契約を締結すること自体には、何ら問題もありません。むしろ、弁護士法の遵守や非弁の抑制からは、意義のある業務であるといえるでしょう。

　しかしながら、他の業法に関する案件と比較すると、特に注意が必要になることもあります。

　そもそも、弁護士が誤った助言をすればそれは善管注意義務違反として、弁護士の委任契約の債務不履行の問題になります。一方で、助言が誤っていない、弁護士のあずかり知らないところで依頼企業や顧問先企業が違法行為をしたところで、それについて弁護士の責任は通常は発生しようがありません。弁護士は、依頼者、顧問先企業の保証人ではなく、これは当然のことです。

　依頼者、顧問先の違法行為については、弁護士職務基本規程14条が「弁護士は、詐欺的取引、暴力その他違法若しくは不正な行為を助長し、又はこれらの行為を利用してはならない。」と定めています。この内容は、比較的謙抑的で、違法行為についてこれを積極的に阻止するとか、調査をするところまでは求めてはいません。

　弁護士職務基本規程11条は、非弁提携行為について、非弁行為者（と疑わしい者）を利用してはいけないと、極めて広範な定めをおいています。

　つまり、同じ依頼者の違法行為であっても、弁護士は、①非弁行為、②非弁行為以外の違法行為、とでは、注意義務が大きく異なり、①がはるかに重い、ということになります。また、非弁行為をする企業の中には、自己の非弁行為が非弁行為ではないとアピールするために、弁護士の名前を悪用するというところもあります。実際に著者も、明らかに非弁行為をしている企業が、「顧問弁護士」として実在の弁護士を表示して、弁護士が指導をしているから大丈夫、というアピールをしている例に接したこともあります。

第2　他士業との境界線と非弁行為に対する対処方法

　その事業内容を検討しても、どう考えても非弁行為ですし、弁護士が指導をした形跡もみられないので、おそらくは前記のような「狙い」があったのではないか、と思っています。

　このような行為に加担をし、あるいはそのようにみられることは、場合によっては懲戒の原因になるリスクもあります。

　どの法分野においてもそうですが、違法行為について弁護士のお墨付きを得ようとする者は、たびたび現れます。殊に弁護士法令の関係においては、それは顕著です。ですから、しっかりとチェックをする、また、事後のリスク回避の観点からも、弁護士からの指導や指摘の事実は、しっかりと記録に残しておくべきでしょう。

Q44　具体的には、どのような企業についてどのような点をどのような方法で確認するべきでしょうか。
　　　単に「非弁行為・非弁提携をしていますか」と聞くわけにもいきませんし、それが十分であるとも思えません。

▼

A44　非弁リスクがある業種の企業について、非弁リスクが高い行為の内容を確認するとよいでしょう。不動産管理業、駐車場管理業、飲食業、コンサルティング業、弁護士相手の広告業などには注意が必要です。

解説

I　どの範囲で注意をすべきか

　以上のとおり、顧問弁護士であるからといって、顧問先の違法行為について全責任を負担したり、あるいは就任前に業務の適法性チェックをしたりす

る必要はないのが原則です。

　ですが、非弁提携規制についてだけは、顧問先について非弁行為・非弁提携の疑義があり、名前等を利用されただけで違反になってしまうリスクがあるということになります。

　したがって、顧問弁護士に就任する前に、念のため類型的にそういうリスクがありそうな業種については、非弁行為・非弁提携の関係について確認をする必要があるでしょう。

　といっても、いきなり「非弁行為・非弁提携をしていますか」と聞くわけにもいきませんし、そもそもその企業が正確に理解しているとも限りません。

　については、特に注意を要する業種・業務について確認をするということになると思います。

Ⅱ　特に注意を要する場合

　特に注意を要する業種としては、不動産管理業、駐車場管理業、弁護士相手の広告業となります。また、場合によっては、コンサルティング業や飲食業も問題になり得ます。

　もっとも、リスクのある行為をしているのはごく一部でしょう。

　不動産管理業や駐車場管理業でいえば、顧客から「顧客の顧客」に対する（不動産管理業であれば貸主が顧客であり、借主が相手方の場合です）債権回収その他紛争解決など、非弁行為に該当し得る業務を行っている可能性があり得ます。

　これらについて、「気にしすぎ」という意見があるかもしれません。しかし、最近はインターネット等で法律知識が普及していることもあってか、一般消費者が「これは非弁行為ではないか」として捜査機関に被害届を出すなど、トラブルになるケースも増えているようです。特に、トラブルの当事者が「トラブル慣れ」している場合には、非弁規制について知識を持っていることもあります。トラブルの場面で余計な弱点は作らない、つまり違法の疑いがある行為はしないに越したことはありません。

顧問弁護士である場合、以上の注意をすることが、自分だけではなく顧問先企業ひいては顧問先企業の顧客の利益を守ることにもつながります。

Ⅲ　具体的な注意と配慮の方法

ⅠとⅡは、少し抽象的ですので、もう少し、具体的な注意の方法について解説します。まず大事なのは、認識を共通化してもらうことです。そもそも、前記の注意を要する業態のケースでも、①非弁行為規制自体を知らない、②知っているが、代理しなければ大丈夫くらいに思っている、また、紛争でなければ大丈夫、紛争の範囲を誤解している、ということがよくあります。

①については、非弁行為規制のあらましを簡単に説明しておきましょう。具体的な説明としては、要するに、他人の法律問題に助言したり干渉することには、原則として資格が必要である、ということです。あまり長々と説明してもややこしく、理解しにくいのでこれくらいシンプルにする必要があるかもしれません。

もちろん、あらゆる会社にいちいち説明する必要はありませんが、前記の注意を要する業態のケースや、他に特別に注意が必要そうな場合（従業員が被害者になるというトラブルに巻き込まれやすい等）だけでも、触れておいた方がよいでしょう。

②についても、よくある誤解です。①と同様に説明しておくとよいでしょう。非弁規制は代理交渉にだけ適用があるのではなくて助言業務にも及ぶということ、紛争性を要件とする見解は、今日では裁判例により支持されていないこと、等を説明するべきです。

特にアドバイスだけなら大丈夫、という誤解は非常に多いので、触れておくべきです。やや広範にみえますが、弁護士の懲戒処分については弁護士会が判断するということ、日本弁護士連合会倫理委員会は、『条解弁護士法〈第5版〉』をみる限り非弁行為について、やや広い解釈を採用していることから、弁護士自身の危機管理、リスク回避策としては、慎重な説明にならざるを得ません。

なお、昨今、第2-4 Q43で触れたように、非弁行為の「お墨付き」に弁護士を利用しようとするケースもありますので、この点にも注意が必要です。

第3

事務職員との境界線

第3　事務職員との境界線

1　事務職員へ依頼してよいこと、だめなこと

(1)　事務職員と法律事務所

Q45　法律事務所の事務職員と、非弁行為規制・非弁提携規制との関係について、基本的な視点（＝注意するべき点）を教えてください。

Q46　法律事務所の事務職員が非弁行為をしてしまう場合、あるいは、弁護士との関係が非弁提携関係になってしまう場合とは、具体的にはどのようなケースが想定されるでしょうか。

▼

A45　大きく分けて2つあります。1つは、事務職員が非弁行為をしてしまわないかという点です。もう1つは、事務職員との関係が非弁提携になってしまわないかという点です。

A46　法律事務所の事務職員が行ってしまう非弁行為の典型としては、自己の判断で交渉し、提案をしてしまうことが考えられます。また、聴取を担当するときに実質的に法律相談をしてしまうということもあり得ます。非弁提携になってしまう例としては、事務職員が出資をするなど法律事務所を所有する、あるいは営業を担当させて歩合給を支給するなどが考えられます。

1 事務職員へ依頼してよいこと、だめなこと

解説

I 法律事務所において、弁護士と事務職員は車の両輪

　「弁護士と事務職員は車の両輪」とはよくいわれる言葉ですが、弁護士は、事務職員に電話や来客対応、事件記録のファイリングなど多くを依存しています。

　どの程度を事務職員に任せているかは法律事務所によるでしょうし、今後IT化がますます進むといっても、電話対応や来客などITで代替できない点は多くあります。

　そのため、法律事務所にとって、ほとんどの場合は事務職員はなくてはならない存在ではあります。

　基本的に、法律事務所には弁護士か事務職員か、その2種類しかいません（法律事務所ごとの職制によるところでしょうが、基本的なところは、という話です）。そうなると、事務職員は弁護士以外で唯一事務所内部にいる者ということになります。

　そのような事情、構造を背景に、悪質なケースとしては事務職員が非弁提携の隠れ蓑にされたりすることもあります。例えば、「事務局長」などという肩書で（この肩書自体に問題があるわけではありませんが）、非弁提携業者が事務所内に「寄生」するという手口は非弁提携の典型です。

　また、故意にではなくて不注意で事務職員が、独断で交渉、提案をするなど非弁行為をしてしまうというリスクもあります。

　距離が近く、事務所内部の問題であるからこそ問題が生じやすいし、外見からもわかりにくいということが、この種の問題の特徴であるといえます。

II 事務職員の行為が非弁行為になってしまう場合

　弁護士が運営する法律事務所といえども、事務職員は、弁護士法の適用関係では「非弁護士」ということになります。

　それにもかかわらず、事務職員が、依頼者からの電話に対応したり、あるいは、訴状等を提出したりできるのは、弁護士の指示に基づき、裁量なく

107

行っているからにすぎません。これは、例えば、弁護士が手紙や訴状を日本郵便株式会社に依頼して送ってもらう、要するに郵送をしても、まさか日本郵便株式会社が非弁行為をしたことにならないのと同じような理屈です。

ですから、事務職員の行為が非弁行為になってしまう場合としては、事務職員に法律事務について処理の裁量が与えられている場合や、弁護士の指示に基づかない場合ということになります。

以上をまとめると、次の要件をいずれも満たす場合、非弁行為になるということになります（なお、これは取扱いの問題の話です。歩合給の支給などは、紹介料や報酬分配規制の問題になります）。

① 外形的に事務職員の行為が「鑑定、代理、仲裁若しくは和解その他の法律事務」に当たること
② ①が弁護士の指示に基づかないこと

ロジックとしては、そもそも①を満たさないのであれば法律事務ではなく、法律事務を取り扱わずして非弁行為になることはあり得ないのですから、これが第1の要件になるということになります。

次に、形式的には法律事務になっても、それが、②弁護士の指示に基づいているのであれば、これは事務職員が法律事務を取り扱ったのではなくて、いわば使者、意思伝達機関、履行補助者として扱ったにすぎないという理解になります。そうすると、実質的に法律事務を取り扱ったのは弁護士であり結局問題はないということになります。

ただし、②について、どこまでが「基づく」といえるか、逆にいえば、どこまで概括的な指示が可能かということが問題になります。指示に基づくというためには、指示に従うために専門的な法律知識に基づく判断は不要でなければなりません。

そうなると、結局、個別の類型ごとに「実質判断」をするしかないということになります。

例えば、弁護士が、「100万円請求する訴状を起案してほしい」という指示

1　事務職員へ依頼してよいこと、だめなこと

をしたとして、その請求原因はどうするか、どの事実を使うか、証拠はどうするか、という点で専門的判断が必要になります。そうなると、結局、指示に従うために専門的な法律知識に基づく判断が必要であるとして、非弁行為の問題が生じることになります。

各類型における具体的な当てはめについては、第3－1⑵Q47以下で解説します。

Ⅲ　事務職員との関係が非弁提携になってしまう場合

これについては、既に第1－1⑵Q4で概念を、第2－2⑵Q26～Q27で詳細等の要件を解説していますので、そちらも参照してください。

過失で行ってしまう場合としては、A46で指摘したとおり、営業担当者に歩合給（受任や回収金額による成功報酬）を支払ってしまうことで、報酬分配や紹介料規制に違反してしまうパターンが多いようです。

ここで、法律事務所の内部的な関係の視点で注意すべき点をまとめるのであれば、「どんな名目であれ、現行の弁護士法は、非弁護士による法律事務所の経営・出資・所有を認めていない」ということです。

非弁護士による法律事務所の所有等を認める法制度を、ABS（Alternative Business Structure）といい、一部の国にはそのような制度があるようです。

ですが、現行弁護士法は、弁護士について同法27条で非弁護士との提携を禁じ、弁護士職務基本規程11条～13条は報酬分配（つまり出資の払戻しも含まれます）や紹介等を禁じています。また、非弁護士も同法72条で法律事件の周旋を禁じています。

弁護士法人制度についても、非弁護士は弁護士法人の社員になることはできないとされています（同法30条の4第1項）。

なお、出資が禁じられているとはいっても、単に運営資金を借り入れるとか贈与を受けることはもちろん禁じられていません。ただし、その後の利益配当を予定するとか、実質的な出資等になる場合には非弁提携になる可能性が生じます。

ですから、これまで説明した同法27条等の各要件のほか、事務所内部での

109

関係としては、非弁護士が、実質的に法律事務所を所有（共有）するとか、出資を受けるとか、そのような関係にならないように注意するべきということになります。

Ⅳ　弁護士と話せない・連絡がとれないということを不満に思う依頼者は多い

少し話はそれますが、依頼者が弁護士に対して抱く不満の中で一般的なものとして、弁護士と話せない、連絡がとれない、いつも事務職員しか対応しないというものがあります。

もちろん、弁護士は出廷や会務などで、常に法律事務所に常駐しているわけではありません。そういうことで、ある程度はやむを得ないのですが、それでも全く折り返しがないとか、弁護士に話したいことがあっても常に事務職員が聞き取るというのでは、不満を抱かれてしまうのもやむを得ません。

一般的な弁護士倫理上の問題は別としても、依頼者がなかなか弁護士と話せないというのは問題です。また、非弁提携がこのようなところから発覚するという事例も少なくない以上、あらぬ疑いを持たれてしまうこともあります。

「弁護士と話せる」というのは相談者・依頼者にとって、とても安心できることである一方で、その逆は大きな不安を抱かせることもあります。

事務職員による非弁行為・非弁提携そのものの問題ではありませんが、事務職員との役割分担を考えるうえで、以上のような依頼者心理に留意することが、トラブル回避や無用な疑念を避けるためには必要なことだと思われます。

(2) 問題になる各場面について

> **Q47** 事務職員に聞き取りや面談をさせることに、非弁規制上の問題はありませんか。

▼

> **A47** 基本的に問題はありません。ただし、聞き取りそのものに問題はないとしても、「何を聞き取るか」について、法律判断が必要であるケースには、聴取が実質的な法律相談、すなわち事務職員自身が「法律事務」を取り扱ったと評価される可能性があるので、その点は注意が必要です。

解説

I　聞き取りを事務職員に任せている例は多い

大手法律事務所を中心に、意外とこのような例は多いようです。

やはり、ある程度マニュアル化ができるということ、一方で、相談者・依頼者の希望や性格によっては時間がかかってしまうこともあること、聞き取り後にそれを文書化する必要があることなどが影響しているようです。

これについて、A47で述べたとおり、基本的には、このような行為に非弁の問題は生じません。仮にこれを非弁行為とするのであれば、究極的にはスケジュール調整ですら非弁行為となってしまいますので、常識的にもこういう解釈はとれないでしょう。

理論的にどのような説明になるかはII以降で解説します。

II　聞き取りは原則的に非弁行為にならない

① 外形的に事務職員の行為が、「鑑定、代理、仲裁若しくは和解その他の法律事務」に当たること

② ①が弁護士の指示に基づかないこと

聞き取り、事実確認という行為は、何ら専門的判断を示す鑑定ではないですし、代理、仲裁にも当たりません。

また、法律上の効果を発生・変更したり、それを保全・明確化したりする行為でもありません（それに必要な前提行為ではありますが、法律事務そのものではありません。なお、弁護士法72条にいう「法律事務」の解釈については、第2-1(1)Q13Ⅳ参照）。

ですから、そもそも①の要件を満たさないので、原則的には非弁になり得ないということになります。

Ⅲ 聞き取りが例外的に非弁行為になるケース

聞き取りであっても、非弁行為に該当する可能性（①に該当すること）はあります。

それは、聞き取りの結果に基づいて対応を変化させる、依頼者に何か見通しを知らせるなどの場合です。

聞き取り結果に応じて対応を変化させる、あるいはアドバイスをするということは、その部分において「鑑定」に該当する可能性があります。

ここにいう「『鑑定』とは、法律上の専門的知識に基づいて法律事件について法律的見解を述べる」（日本弁護士連合会調査室編著『条解弁護士法〈第5版〉』弘文堂（2019年）653頁）ことをいいます。

質問を変化させただけで「法律的見解を述べ」たと評価することは難しいかもしれません。ですが、聞き取りをするということは、何が必要な事実であるか相談者に伝えることと表裏一体の関係にありますので、これを、臨機応変に変化させることは、やはり鑑定に類すると評価される可能性が全くないとはいえません。

例えば、不法行為の被害に関する相談において、相手方の勤務先とか、あるいは両親について聴取をすることは、勤務先への使用者責任や未成年の監督者の責任を問うことのできる可能性の判断を前提にしているということも

1 事務職員へ依頼してよいこと、だめなこと

あり得ます（一方で、ただの賃金差押えの準備の場合もあるでしょう）。

アドバイスについていえば、聞き取りという情報をもとに、「法律的見解を述べ」るということにほかなりませんので、「鑑定」に該当することはより明らかだと思われます。

Ⅳ　聞き取りを臨機応変に変化させる等、一定の「案内」を適法にする方法

Ⅲのような見解を前提にすると、必要もないことを長々と聴取するとか、あるいは、せっかく事務職員に聴取の手伝いをお願いしているのにもかかわらず、追加での聴取がしばしば必要になってしまうことになり、何のために事務職員に聴取をお願いしているかわかりません。

そこで、以上の要件①については触れるとしても、②の点で工夫をすることが考えられます。

事務職員が法律事務を行っているようにみえても、実質的には弁護士の指示に基づく行為を形式的に行ってのであれば、非弁問題にはなりません（第3－1(1)Ⅱ参照）。

具体的には、聴取において、例えばフローチャートのような形式で裁量判断の余地がなく、事前の指示どおりであることが客観的に明らかなように指示をしておくという方法があり得ます。

例えば、債務整理・過払金返還請求においては、最初に聞くことは借入先、次に聞くことは残債、そして、残債があるときは家計状況を聞くが、残債がないときは家計状況を聞かない、と機械的に決めておくことにします。こうしておけば、法律判断が仮にあるとしても、そもそもその判断を（事前に）しているのは事務職員ではなくて弁護士ですので、非弁行為の問題は生じないということになります。

より複雑な事件になっていくと難しくなるのですが、逆に、「形式的客観的に基準を決めて指示をしておけない」という段階になれば、それは非弁行為なのでやめておいた方がよいと判断すべきです。

ここでのポイントは、とにかく、誰がやっても、指示（マニュアル）どおりであれば、同じような質問になっていくかどうかです。誰がやっても同じ

113

第3　事務職員との境界線

であるということがいえる以上、その事務職員本人の判断つまり法的な鑑定などが入っていると評価される余地はありません。特に指示を書面などで記録に残しておけば、非弁（提携）の疑義を持たれた時でも、十分な説明が可能でしょう。

Q48 　事務職員を聴取に同席させること、その際に、実際の聴取を事務職員に行わせることに問題はないでしょうか。

▼

A48 　弁護士は座っているだけで何らの指示も指導監督もしないなど、極端なケースを除けば、まず問題は生じないと考えられます。

解説

I　弁護士同席で事務職員が聴取をすることには原則として問題はない

　事務職員が聴取に同席をすること自体には、何の問題もありません。

　また、同席している事務職員が、弁護士に代わって聴取することも、基本的にはまず問題はありません。

　ここで、先ほどの表をもう一度掲載します。

---

①　外形的に事務職員の行為が、「鑑定、代理、仲裁若しくは和解その他の法律事務」に当たること
②　①が弁護士の指示に基づかないこと

　聴取が形式的・機械的であれば、そもそも①には触れないのは既に解説したとおりです（第3−1(1)Ⅱ）。

　また、実質的事項、すなわち法的判断（鑑定）に及ぶ場合であっても、弁

1　事務職員へ依頼してよいこと、だめなこと

護士が同席している以上、事前又はその時点で明示又は黙示の指示があり、それに基づくことが通常でしょうから、②の要件を満たさず非弁行為にはなりません。

Ⅱ　例外的に非弁行為になり得る場合

　事務職員単独で聴取させる場合（第3-1⑵Q47）と異なり、このような概括的・黙示の指示と緩やかなもので許容されるのは、「同席しているのであるから、指示に基づかない場合などは、直ちに弁護士が是正できる」ということが前提にあります。

　したがって、（非弁提携事務所でもない限り）あまり想定し難いのですが、弁護士が単に置物のように座っているだけであり、実質的に何も指導監督していないということであれば、前記②の要件を満たすことになり、非弁行為となる可能性が出てくるということになります。

　もっとも、事務職員に非弁行為をさせることの第1の目的は、弁護士の時間節約、代替のためですから、わざわざあえて同席しておいて何も指導監督していない、指示もないということはなかなか考え難いでしょう。

　逆にいえば、弁護士が同席しているという事実は、事務職員の聴取が弁護士の指示に基づくはずであるという重要な間接事実であるともいえます。

Q49　事務職員に書面の下書きをさせる場合に、注意をしなければならないことはありますか。もし任せるのであれば、どの範囲、どの程度であれば適法なのでしょうか。

▼

A49　第3-1⑴Ⅱと同様の基準で考えることになります。もっとも、訴状はもちろん、内容証明郵便についても、事前の指示の範囲で機械的・形式的に作成することは難しいと思われますの

115

で、「完成」あるいはそれに準じる程度の書面を作成すること
は、基本的に非弁行為になる可能性が高いでしょう。ただし、
時効援用である等の単純な受任通知、訴状の当事者目録や別紙
計算書等の部分、請求原因が定型的である類型の事件（過払金
返還請求事件や建物明渡請求事件）における請求原因部分など
であれば問題はないと思われます。

解説

Ⅰ　書面の下書き等をさせる場合においても同様の基準で判断できる

　弁護士法72条は非弁護士による法律事務取扱いを禁じていますが、ここで
いう法律事務の「行為の形式」には特段の制限はありません。聴取であれ、
面談であれ、電話であれ、そして書面の作成であれ、実質判断として法律事
務取扱いに当たるのかという問題になります。したがって、ここでも第
3-1(1)Ⅱと同様の基準で判断することになります。

①　外形的に事務職員の行為が、「鑑定、代理、仲裁若しくは和解その他
　の法律事務」に当たること
②　①が弁護士の指示に基づかないこと

Ⅱ　法的文書の作成は基本的には法律事務に当たる

　弁護士法72条にいう「法律事務」とは、「法律上の効果を発生変更する事
項の処理」や「法律上の効果を保全・明確化する事項の処理」（第2-1(1)Q
13）が含まれます。

　そうすると、訴状は訴訟法上の訴訟行為を明確化するものですし、あるい
は、訴訟係属という訴訟法上の効果を発生させることに向けた行為ですの
で、訴状の作成が法律事務に当たることは明らかです。

　また、内容証明郵便の作成も、契約の解除などを行うのであれば法律上の
効果を発生変更するための事項の処理といえます。さらに新しい法律行為を

含まない場合であっても、従前の経緯、認識を述べて自己の法的見解、主張を明らかにするので、少なくとも法律上の効果を保全あるいは明確化する事項の処理といえます。

加えて、以上の書面の記載内容については、専門的な法的判断が不可欠なこともあり、その場合は、専門的な法律知識に基づき判断して法律上の見解を表現するということ（なお、第2-1(3)Q20も参照）で、これは弁護士法72条の「鑑定」に当たることになります。

そうなると、基本的に、法的文書の作成は法律事務に当たることになりますので、前記①に抵触することになり、適法に行うには②つまり弁護士の指示に基づく必要があるということになります。

なお、法律文書作成が一般的に法律事務に該当することについては、令和元年改正の司法書士法1条の記載からも明らかであるといえます。同条は「この法律の定めるところによりその業務とする……法律事務の専門家」と定めています。「この法律の定めるところによりその業務とする」業務の内容は同法3条1項各号に定められていますが、同項2号は「書類……を作成すること」と定めています。

そうすると、令和元年に改正された司法書士法1条は、同法が定める業務は法律事務であるということを前提にしていること、そしてその業務には書類作成も含まれていることから、法律文書作成は法律事務であることが立法においても当然の前提になっているといえます。

Ⅲ　どの範囲で作成を任せることができるのか

これも、これまで論じてきた基準、考え方が応用できます（第3-1(2)Q47、Q48）。

要するに、実質的に弁護士の指示の範囲内であり、独自の判断を行っていないか、そのような判断・処理が不要な範囲での作成であるかという問題になります。

そうすると、訴状作成において、当事者目録を作成する、書式を整えることについては、事前に用意されている事件記録からこれらを引き写すだけで

すので、①に該当しないか、そもそもするとしても、事前の指示に機械的に基づく行為であるといえますので問題はないでしょう。

また、別紙計算書などについて、これはどういう計算をするべきかということで、専門的な法律知識に基づく判断が前提にあります。ですから、鑑定あるいは一般の法律事務に該当するということで①には抵触します。ですが、どのような式を使うべきか等については、弁護士が事前に明確に指示ができますので、結局、②の点で問題はない、非弁行為には当たらないといえるでしょう。

さらに進んで、請求原因事実の作成など事実面の記載について検討します。

これについては、雑多な事実の中から法的に意味のある事実を選択して要約するということは、やはり専門的な法律知識に基づく判断が必須であるので、法律事務に当たることは間違いないでしょう。

また、弁護士の方で指示をしようにも、「専門的な法律知識に基づく判断が要らない程度に詳細な指示をする」ということになると、実質的には、弁護士が1から10まで指示をすることになり、事務職員に「任せる」余地がなくなるということになります。

したがって、請求原因事実の記載については、基本的には、事務職員に任せることは難しいということになります。

もっとも、貸金返還請求、賃料不払建物明渡請求、交通事故の損害賠償請求、過払金返還請求などで、そのうち、定型的な部分の請求原因事実であれば、弁護士の指示に基づく作成ということが観念できると思われます。具体的には、貸金額、弁済期、不払期間、事故日など、事件記録から読み取って、あらかじめ定まった書式に転記するという場合であれば、②の点で問題がないということになろうかと考えられます。

Ⅳ　一見面倒な規制でもそこに業務効率化のヒントがある

さて、少し話はそれますが、以上の解説について、弁護士からすると、なかなかに面倒な規制、もっといえば「うるさい」規制に思えるかもしれませ

1 事務職員へ依頼してよいこと、だめなこと

ん。

　確かに、特にこの非弁規制というものは、あれはだめ、これはだめという
ものですから、そのような側面があることは否めません。

　しかしながら、以上①、②のような要件を満たすようにすれば、自然と事
務職員は、スムーズかつ迅速に書面作成等の業務を行うことができるように
なりますし、また事故の防止にもつながります。これらの規制を遵守すると
いうことは、業務効率化の観点からも大事なことではないでしょうか。

> **Q50** 事務職員に裁判所への訴状提出などをお願いすることがあり
> ます。その場合、職印を持参させて、受付窓口での訂正の指示
> 等に応じさせることに、非弁規制上の問題はないのでしょう
> か。

▼

> **A50** 　問題ありません。裁判所書記官の指示に基づくものであり、
> 事務職員自身が法律事務を取り扱っているわけではないからで
> す。また、指示というより「提案」であり、諾否があり得る場
> 合でも、そもそも弁護士の事前の指示の範囲内に完全に収まる
> ため、指示・提案のいずれもまず問題はありません。

解説

I　誤字脱字などの修正について非弁の問題が生じることはない

　実務上、裁判所の受付で事実上の訴状審査を行い、計算違い、誤字脱字な
どがあれば、それを指摘してその場において訂正印で修正を求められること
がよくあります。そして、その修正に備えて、事務職員に弁護士の職印を持
参させるということが通常です。

　弁護士としては、受付で修正を求められるというのは恥ずかしいことです

119

が、どんなにチェックをしてもミスが出てきてしまうことは避けられません。

こういった事務職員が訴状の受付窓口において訂正印で修正をするという行為に問題がないかですが、まず問題はありません。

そもそも裁判所書記官の職務である指示に基づくものですから、事務職員自身が、その判断で修正をしているものではありません。ですから、自身で法律事務を取り扱ったと解する余地はほとんどないでしょう。

要するに、第3-1(1)Ⅱの①を満たさないということになります。

Ⅱ 「提案」等、事務職員に判断の余地があるとしても、弁護士の事前の指示の範囲内に収まるとして基本的に問題はない

一方、「ここは○○の間違いかと思われるので修正してはどうか」というような「提案」であった場合、これに応じるか・応じないか、という点で判断が必要になることもあります。

ただし、これについても、「実質的な内容の変更ではない修正指示、提案には応じる」という趣旨で、弁護士から指示が事前にあるということがほとんどでしょう。

この指示に基づく限り、やはり事務職員の処理に裁量はないということになります。

なお、まず考えられないことですが、例えば裁判所書記官の指示が請求の趣旨を実質的に変更する、訴訟物を変更するようなものであれば問題になり得ます。そういう内容の弁護士からの指示はないことが通常でしょうし、仮に指示があるとすれば、事務職員に自身の判断を求めること（第3-1(1)Ⅱ）になりますので、非弁行為の可能性が出てくるということになります。

(3) 外国弁護士と外国法事務弁護士の問題

Q51 外国の弁護士資格を有するが、日本の弁護士資格はない（あるいは登録をしていない）弁護士が事務所内にいます。外国の

1　事務職員へ依頼してよいこと、だめなこと

弁護士資格の国内法上の扱いを教えてください。

Q52　外国弁護士が外国法事務弁護士として登録する際の要件である「（国内における）資格取得国の法に関する知識に基づいて行つた労務の提供」について、非弁規制上の注意点はありますか。

Q53　外国弁護士の職務経験は、「資格取得国の法に関する知識に基づいて行つた労務の提供」である必要がありますが、一方で、外国法事務弁護士として登録していない以上は、法律事務を取り扱えません。非弁規制を遵守しつつ、外国弁護士による法律事務の取扱いに関する特別措置法（以下、「外弁法」とする）上の職務経験の要件を満たすようにするには、どのような点に注意をするべきですか。

▼

A51　外国の弁護士資格を有する（登録している）としても、国内法上は非弁護士であることに変わりありません。したがって、職域としては事務職員と同じということになります。

A52　A51のとおり、外国弁護士といえども外国法事務弁護士の登録をしない限りは、国内法上は、非弁護士扱いは全く同じです。したがって、第3－1⑴Q45、Q46、⑵Q47～Q49の注意点がいずれも当てはまります。また、顧客に直接の法的助言をしないからといって、それだけで弁護士法72条違反を回避することはできません。

A53　原資格国法の知識に基づく業務でなければ、職務経験要件に算入されないので、弁護士法72条の法律事務に該当しないまでも、（原資格国の）法律知識を用いる業務には当たるという、

121

いわば2つの要件を満たす業務をする必要があります。これについては、原資格国法の客観的な法制度、内容の説明や、その調査といった原資格国の法律に関する事項で、具体的な事件を前提にしたり、それらについて見解を表明したりしない内容の業務であれば、以上2つの要件を満たすと考えられます。

解説

Ⅰ　外国の弁護士資格と非弁規制

少し事務職員の問題とは離れますが、問題が類似し、かつ、実際に非弁行為との関係で問題になり得る分野ですのでここで解説をすることにします。

国内法上、弁護士でなければ原則として報酬目的で業として行う法律事務の取扱いはできません（弁護士法72条）。そして、ここでいう弁護士とは、国内法上の「弁護士」をいうのであって、外国の弁護士資格（あるいは弁護士に相当する資格）の保有者は含まれません。

したがって、例えば、米国ニューヨーク州の弁護士資格を有していたとしても、国内においては、国内法はもちろんのこと、ニューヨーク州法についても法律事務の取扱いをすることはできません。

これは、弁護士法72条は「法律」と述べており、内国法・外国法を区別していないからです。また、Ⅱで説明するように、特別法で「国内において外国法に関する法律事務」を取り扱えるような定めがあります。したがって、仮に外国の弁護士資格で、当該国の法律については法律事務が取り扱えると解すると、特別法全体が空文化してしまうので、当然の帰結であるといえます。

逆に、外国法に関する事項であっても、「法律事務」である以上は、国内法上の「弁護士」は、取扱いができるということになります（もちろん、これは他の特別な法分野についてもいえることですが、実際にできるかどうかは別問題です）。

Ⅱ　外弁法

　Ⅰで説明したように、外国の弁護士（に相当する）資格では、国内において法律事務を取り扱うことはできません。

　ですが、社会において国際化が進み、国際取引も珍しくなくなった今日、外国法に関する法的サービスの需要は増大しています。そうすると、外国の弁護士資格を有していても、その外国法についてですら国内において法律事務は一切取り扱えないとするのは不合理です。

　一方で、国内の弁護士制度を維持する、特に弁護士自治との整合性を図る、必要な監督をする、能力的担保をするという必要性もあります。

　そこで、これらの事情を考慮・調整して、外弁法が制定され、「外国弁護士となる資格を有する者が国内において外国法に関する法律事務を取り扱うことができるみちを開」く（外弁法１条）ことになりました。

Ⅲ　外国弁護士と外国法事務弁護士

　外弁法では、概念として「弁護士」（外弁法２条１号）、「外国弁護士」（同法２条２号）、「外国法事務弁護士」（同法２条３号）の３つを用いており、本書でもこれに従って説明します。

　まず、弁護士ですが、これは文字どおり、国内法である「弁護士法」上の弁護士のことをいいます。外国弁護士、外国法事務弁護士は含まれません（したがって、この２つは、Ⅰで説明したとおり、外国法に関する点も含めて国内で法律事務を取り扱うことはできません）。

　外国弁護士とは、外国の弁護士（に相当する者）をいいます。米国ニューヨーク州弁護士などがこれに当たります。

　外国法事務弁護士とは、外弁法で創設された資格です。一定の要件を満たして登録を受けた外国弁護士に与えられます。

　外国法事務弁護士は、登録の基礎になった外国の法令に関する法律事務を、国内において行うことができます。なお、他に指定法付記といって、複数の外国弁護士資格を有する場合は、複数国の法律について法律事務を取り扱えるようにする手続もあります（同法５条１項）。

以上、要するに、国内においては、外国弁護士であっても外国法も含めて法律事務は行えないが、外国法事務弁護士として登録すれば、その外国法については法律事務が行えるという制度になっています。

Ⅳ　外国法事務弁護士登録のための職務経験要件

外国法事務弁護士の登録は、外国弁護士であれば無条件に行えるものではなく、いくつかの要件が課されています（外弁法10条）が、1番大きなものは「職務経験」の要件です（同法10条1項1号）。外国法事務弁護士として登録するためには、外国弁護士として職務を行った経験が3年以上必要であるとされています。

もちろん、国内においては外国弁護士といえども法律事務の取扱いはできないわけですから、国内において外国弁護士として職務を行うということはあり得ないので、これは原資格国（あるいは活動が許されている外国）での経験ということになります。

もっとも、この職務経験要件については例外規定があり、日本国内において「資格取得国の法に関する知識に基づいて行つた労務の提供」（同法10条2項）は2年（従来は1年でしたが、令和2年8月29日施行の改正法により上限が2年と定められました）を限度に職務経験の期間に算入できるとされています。

Ⅴ　職務経験要件における「労務の提供」と非弁規制

さて、外国法事務弁護士としての登録は、もとより国内で勤務するために行うものです。国内での経験年数の算入上限が1年以内であった法改正前においては、原資格国で2年、国内で1年の経験を積んで合計3年の経験として登録を申請する例が多かったようです。改正法では、国内での経験年数の算入上限は2年になりましたので、原資格国で1年、国内で2年経験して申請をするケースが増えることが見込まれます。

そうすると、外国弁護士であって外国法事務弁護士でない期間、国内において前記「労務の提供」をする期間が生じることになります。

外弁法上、職務経験要件を満たすためであれば、法律事務を取り扱うことが許されるというような定めはありません。となると、この「労務の提供」に法律事務は含まれないということになります。

一方で、この労務の提供については、法は、「資格取得国の法に関する知識に基づいて行つた労務の提供」と定義しています。そうすると、「弁護士法72条にいう『法律事務』」ではないが、「資格取得国の法に関する知識に基づいて行つた労務の提供」であるという概念が存在することになります。

仮に、法律事務に当たった場合、その外国弁護士の国内での「経験」は、犯罪行為の経験になり、（そもそもしてはいけないのですが）果たしてこれを算入してもよいのかという問題が生じます。

一方で、法律事務に該当しないように注意をするとして、全く法律と関係のない業務を行った場合、「資格取得国の法に関する知識に基づいて行つた」とはいえなくなり、これまた職務経験に算入することができなくなります。

そうすると、①法律事務に該当しないが、②資格取得国の法に関する知識に基づく業務を行う必要があるということになります。

これはなかなか難しいところですが、基本的にはA53のとおり、「原資格国法の客観的な法制度、内容の説明や、その調査といった、原資格国の法律に関する事項で、具体的な事件を前提にしたり、それらについて見解を表明したりしない内容の業務」であれば、①、②の双方を満たすといえるでしょう。

法制度、法内容について説明したり、調査したりすることは、その法に関する知識がないと不可能ですので、これを行うことは②資格取得国の法に関する知識に基づくといえます。

また、あくまで客観的な法制度等、情報を提供するにとどまり、具体的な案件について事実評価や法規への当てはめをしないのであれば、①鑑定等の法律事務にも該当しないといえます。

なお、実務上、申請書類において、本邦における職務経験については、労務の提供を行っていたこと、顧客に直接の法的助言を提供していないことを明記した書類が提出されるケースがほとんどです。

このような記載で問題になるということはないのですが、著者としては、少し疑問に感じるところもあります。

すなわち、労務の提供であっても、それが法律事務、具体的には鑑定に当たるケースはあり、その場合は非弁行為になります。また、顧客に直接の法的助言をしなくても、間接的に助言を提供すれば、それは法的な鑑定つまり法律事務に該当し、これも非弁行為になります。

この記載は、労務の提供であれば、直接の法的助言さえしなければ非弁行為にならない、というような誤解に基づくともいえ、著者としては問題であると考えています。

より正確には、例えば、「申請人は、原資格国の法律知識に基づき労務の提供を行ってきましたが、顧客に法的助言をはじめとする法律事務の提供を行っていません」というような内容にすることが適切ではないか、と思っています。要するに、間接的にも鑑定等の業務を顧客に提供しない、ということです。なお、外国弁護士の職務経験に限らず、法律事務の提供が問題になるのは、顧客を含めた「他人」へのものです。ですから、外国弁護士が雇用先のために法律事務の提供をすることは、企業の法務部員による法律事務の提供と同じく、何ら問題はありません。

Ⅵ 顧客に、法律サービスを直接提供しなくても非弁行為になり得ることに注意

法律事務の定義や抵触のリスクについては、今まで繰り返し説明してきましたが（第2-1(1)Q13、(3)Q20、第3-1(2)Q47～Q49)、顧客に直接、助言等を提供する・しないということは絶対的な区別になりません。

例えば、非弁護士が、すべて自己の判断と能力で書面等を作成した場合において、その顧客への提供、連絡役は弁護士であるからといって、非弁行為であることは避けられません。

逆に弁護士が、自己の判断で書面を作成し、その指示に基づき事務職員が裁判所や顧客に届けたとしても、事務職員の行為は非弁行為になりません。

同じように、外国弁護士の職務経験であっても、法律事務を行えば、最終

的な成果物の提供が有資格者経由であっても、非弁行為であることには変わりがありませんので注意が必要です（仮に、直接のサービス提供でなければ非弁行為にならないということになれば、有資格者を1名ないしごく少数用意して、連絡役に徹することにさせれば、事実上、無資格かつ何らの監督に服さずに法律事務を行うことができることになり、実質的にも不合理な帰結になります）。

事務職員が勝手に非弁行為をしてしまった場合の対応

(1) 想定される場面と予防方法

> **Q54** 事務職員の業務が一定の場合に非弁行為になることは理解しましたが、私の事務所では事務職員に事件の聴取や同席などを行わせていません。そのような場合でも、非弁行為をしてしまうリスクはありますか。

▼

> **A54** 高くはありませんが、全くないわけではありません。やはり多いのは、電話とか、相談室に通すまでの間に、何か聞かれたり、答えてしまったりするケースであると思われます。また、事件関係者、相手方との間で、思わず交渉ないしその疑念を抱かれるような応答をしてしまうことも考えられます。さらに、これは非弁行為とはあまり関わりはなく、レアケースでしょうが「なりすまし」に遭う可能性も否定できません。

解説

Ⅰ　伝統的な業務を行う事務職員には非弁行為のリスクは低いが…

　事務職員の行為が一定の場合に非弁行為になってしまうことは、既に解説したとおりです（第3-1(2)Q47〜Q49）。このリスクは、事務職員を弁護士業務に「活用」しようとすればするほど、あるいは、業務の効率化を図ろうとすればするほど、高くなっていくものです。ですから、合理化、事務職員の幅広い活用を検討し、実行している法律事務所にとっては、重要な問題に

なります。

　一方で、電話や面談の際の応対、「お使い」など、いわば伝統的な業務のみ事務職員に任せている場合には、このようなリスクは低いものになります。

Ⅱ　事務職員は相談者や依頼者と最初に、そして不安が強い時期に話す人である

　そうはいっても、非弁行為のリスクが完全にゼロになるというわけではありません。

　法律事務所にとって、相談者・依頼者が最初に話をするのは、ほとんどの場合は事務職員です。また、受任後の事件処理の過程においても、相談者・依頼者は書面やメールで弁護士との間でやりとりをすることも多いでしょうが、電話でやりとりする場合、最初に話すのは事務職員です。

　そして、最初に電話をするときは、相談者は不安や疑問をたくさん抱えていることが通常でしょう。普段は弁護士から連絡する、あるいは書面や電話でやりとりをする場合でも、急に不安になったとか、緊急事態になった場合は、大慌てで電話をしてくるということもあり得ます。

　すなわち、事務職員は、早い段階や不安が一番大きい段階で話す機会が多い立場にあるといえます。

Ⅲ　不安を抱えた人からの疑問・質問への対処と事務職員

　不安であれば、すぐにでも質問をして答えが知りたいというのが人情です。

　弁護士であれば経験があるでしょうが、電話を受けてみたら自分の名前を名乗ることもそこそこに（というより名乗ることもせずに）いきなり機関銃のごとく質問・疑問・不安をぶつけてくる相談者もいます。

　弁護士であれば、落ち着かせて話を聞き取るということになるでしょうが、事務職員ですと、そうはいかないこともあります。相談者が不安を抱えていて質問をしたいというのは人情であり、そのような人を目の前にして、

129

ついつい答えてしまう、要するに簡単な法律相談になってしまうということは十分あり得ます。

また、相談者や依頼者でなく、その相手方であったとして、しかも、犯罪被害の弁償であるとか、交渉に特別の注意が必要な者であった場合、そのような者から突然電話が来て、何か話したいという場合に、「弁護士がいないので後ほど」とスムーズに電話を切ることが難しいこともあるかもしれません。

このような場面での、「せめて○○だけでも教えてくれ」というような場合に、不用意に答えると法律相談や交渉を独断で行ったとして、後ほどトラブルになる可能性は否定できません。

Ⅳ　対処としては全般的に指示をしておくことと、個別的に注意をしておくこと

以上Ⅲのような問題への対策は、全般的なものと個別的なものに分かれます。

全般的な点としては、自分は弁護士ではないので、独断でお答えできないという返答をすることを、原則として事務職員に指導しておくことです。

なお、相談者の便宜のために、客観的な法制度やサービス内容（例えば債務整理において請求が止まることやその時期など）について、単に答えるのであれば、非弁行為にならないので問題がありません。

一方、予約の受付程度、伝言程度しかしないというだけでは相談者等の不安も募るでしょうから、この程度はしてもよいと事前に指導しておくとよいでしょう。

また、以上Ⅲのような問題は、弁護士が事務所を空けていて、直ちに弁護士が対応できないから生じてしまう問題であるともいえます。

だからといって事務所にずっと張り付いているわけにはいきません。ですから、予定については極力事務局と十分に協力して、いつ頃戻るかとか、場合によっては、出先から（すぐの）折り返しができるか、事前に知らせておくことができれば、「食い下がられて、思わず法律相談・代理のようなこと

をしてしまった」ということはまずなくなると思います。要するに、しっかりと事務職員と予定を共有しておくべきである、ということです。

特に、注意が必要な相手方からの電話が予想される場合に大事なのですが、そのようなときは、その相手の氏名や用件を、事前に事務職員に伝えておくとよいでしょう。

心づもりができれば落ち着いて対処できますし、そうすれば、Ⅲのような事態も相当防げると思われます。

Ⅴ 「なりすまし」に注意？

非弁行為とはほとんど関係ないですし、滅多にあることではありませんが、「なりすまし」についてもここで解説することにします。

事件の種類や、依頼者の親族等の関係者のパーソナリティーによっては、弁護士と依頼者との関係や、事件処理方法、方針について、積極的に介入したがる、あるいは心配でいろいろ知りたくなるという方がいるケースがあり得ます。

もちろん、弁護士には守秘義務がありますので、親族であるとしても、無制限に事情を教えるわけにはいきません。また、弁護士は、依頼者の正当な利益の実現に向けて（弁護士職務基本規程21条）、自由かつ独立した立場で職務を行うことが求められています（同規程20条）ので、そのような第三者の介入に応じて方針を変更することは、基本的には許されないことです。

滅多にあることではありませんが、依頼者の親等の親族が、本人になりすまして事務所に電話をかけて、事情を聞いたり、何かを要求したりするということが過去にありました。

声でわかるようなことですが、電話の電波の状態によってはわかりにくいこともありますし、そもそも担当弁護士ではない事務職員がきちんと聞き分けられるのかというと難しいでしょう。

このようなケースは、当初から、依頼者の周囲の者が相談についてくる、いろいろと干渉しようとしてくるという前兆があることがほとんどです。

こういった場合、事件記録に少し注意を書いておくという防止策が考えら

第3　事務職員との境界線

れます。

⑵　説明の仕方

Q55　事務職員が、法律相談に当たる回答をしてしまったり、代理交渉のようなことをしてしまったりした場合、どのような事後処理を行うべきでしょうか。

▼

A55　まず、法律相談のような回答をしてしまった場合ですが、直ちに、間違っていれば訂正を、正しくても再度の案内・説明をするべきです。間違っていれば問題ですが、間違っていなくても法的な権限の範囲外であるということは変わらないからです。代理交渉のようなケースでは、すぐに、弁護士の意思・決定に基づかないことを連絡するべきです。

解説

Ⅰ　正しいか間違っているかの問題ではない

　事務職員が法律相談に当たるような行為を誤ってしてしまった場合、それは、その行為そのものが問題になるのであって、正否が問題にされるものではありません。

　ですから、これについては、「瑕疵の治癒」という言葉が相当であるかどうかはわかりませんが、説明してしまった、回答してしまった内容を把握して、間違っているのであれば訂正を、正しい場合であっても再度の案内・説明をするべきです。

Ⅱ　相手方に代理に当たるような行為をしてしまった場合

とにかく、すぐに、弁護士の意思・決定に基づかないということを相手方に伝えるべきです。

ただし、相手方がそれに納得せずに、承諾、交渉成立を主張するのであれば、やや難しい問題となります。

これについては、事務職員は使者としての権限しかないにもかかわらず、代理に当たる行為をしたので、無権代理（民法113条）と表見代理（同法109、110、112条）の成否の問題になると考えられます。

もっとも、普段から交渉の「合意」の連絡について、相手方については事務職員に任せていたという事情でもない限り、通常は、弁護士ではない者の行為である以上は、相手方に悪意又は過失が認められることが多いだろうと思われます。

逆に、前記の事情、取扱いが続いていたのであれば、有効であると評価されてしまうリスクもあると思われます。

第4

具体的問題例

第4　具体的問題例

① 個人からの相談

⑴　はじめに－非弁対応の法的基礎

Q56　非弁行為を依頼した者と、その依頼を受けて非弁行為をした者、そして、その事件の相手方との法律関係をそれぞれ教えてください。

▼

A56　非弁行為を依頼した者については弁護士法違反の教唆犯は成立しませんし、事実上不適切な処理で損害を受ける等を除けば法的な責任は問われないのが原則です。一方で、非弁行為をした者には弁護士法違反の罪が成立するほか、依頼者との間の委任契約は無効になりますので、報酬請求権は発生せず、仮に支払った報酬があれば不当利得として返還請求が可能です。非弁行為の相手方との関係では、合意などがあればそれについて無効主張ができる可能性があります。

解説

I　非弁行為の当事者

　非弁行為が行われた場合、その当事者（関係者）は、非弁行為をした非弁行為者、それを依頼した依頼者、そして相手方ということになります。ここでいう相手方としては、「依頼者」の相手方、つまり、非弁行為者が代理や書面作成・郵送等を行う相手方ということになります。

136

Ⅱ　非弁行為の依頼者は責任を問われないのが原則

　まず、依頼者の法律関係ですが、依頼者が一番気にする点として、自分も責任を問われないか、という教唆犯の成否の問題があります。依頼者は、非弁行為という犯罪（弁護士法72、77条3号）を依頼したのですから、教唆犯（刑法61条1項）が成立する可能性について検討の必要があります。

　これについては判例があり、「（弁護士）法72条の規定は、法律事件の解決を依頼する者が存在し、この者が、弁護士でない者に報酬を与える行為もしくはこれを与えることを約束する行為を当然予想している……ところが、同法は……これを処罰する趣旨の規定をおいていない……欠くことができない関与行為について、これを処罰する規定がない以上……教唆もしくは幇助として処罰することは、原則として、法の意図しないところと解すべき」（最三小判昭和43・12・24刑集22巻13号1625頁〔24004871〕）と判断されています。

　つまり、非弁行為の依頼者については教唆犯は成立しないのが原則となります。

　もっとも、前記判例は「原則として」と述べています。この例外はどのようなものであるか必ずしも明らかではありませんが、渋る者に対してしつこくお願いして非弁行為をしてもらうような容易に想定し難い特別の関与がない限り、まず教唆犯の成立はあり得ないと考えられます。

　次に、民事上の法律関係についてですが、非弁行為者との関係はⅢで、相手方との間で非弁行為者の関与で成立した合意についてはⅣで説明します。

　残りの部分である合意関係以外での相手方との法律関係ですが、非弁行為者への依頼の中で、例えば、自宅や勤務先へ押しかけるとか「夜討ち朝駆け」のような行為など、交渉・問題解決のために非弁行為以外の違法行為を依頼した場合、それぞれ教唆犯や不法行為責任を負う可能性があります。

　逆に、そのような行為を依頼していない、依頼の前提に入っていない、期待もされていない、単に非弁行為を依頼しただけで他の違法行為は非弁行為者が独断で行った場合には、それらの行為について責任を問われることにはならないでしょう。

　以上によれば、非弁行為を依頼した者は法的責任を問われることはまれで

あり、むしろ、不適切処理により被害を受けている、Ⅳで論じるような合意無効の可能性で不利益を受ける立場にあるということになります。

Ⅲ 非弁行為者の責任

　非弁行為は、弁護士法72条に違反し、かつ、犯罪となります（同法72、77条3号）ので、非弁行為者は刑事責任を問われる可能性があります（最近は、捜査機関も積極的に摘発に努めているようです）。

　また、民事上も、同法72条違反の行為を目的とする委任契約は無効であるとする判例（最一小判昭和38・6・13民集17巻5号744頁〔27002019〕）、受領した金員は不当利得となるとする裁判例があります（東京地判平成27・1・19判時2257号65頁〔28232473〕）。したがって、非弁行為者は、既に受領した報酬があれば返還する義務が生じますし、報酬請求もできない（大阪高判平成26・6・12判時2252号61頁〔28231763〕）という帰結になります。

　次に、報酬金とは別に、非弁行為により損害を被ったとして、依頼者や相手方に対して損害賠償義務を負担するかという問題があります。

　これについては、依頼者についてですが、一般論として「事情を総合して、違法性の有無を判断（し）……不法行為に基づく損害賠償請求は認められないという事案もあると考えられる」（判例タイムズ1434号（2017年）102頁）とする見解があり、基本的にこのように考えるのが妥当でしょう。

　実際に不法行為に基づく損害賠償が認められるためには、単に非弁行為があるというだけでは足りず、さらに具体的事情に基づく違法性の判断が必要ということになります。より具体的には、非弁行為により本来得られるべき権利を得られなかったり、あるいは権利を失ったりした場合がこれに当たると思われます。

　裁判例上も、遺産分割に非弁業者が関与したという事例で、本来であれば得られるはずであった遺産を得ることができなかったとして、その差額分を損害として認容した例があります（東京地判平成27・7・30判時2281号124頁〔28240927〕）。もっとも、これは非弁行為というよりも、不適切処理の問題とも評価できると思われます。もっとも著者の経験上、非弁行為者がまとも

な事件処理をすることはほとんど期待できません。ですから、非弁行為の問題があれば、不適切処理の問題は極めて高い確率で存在するといえます。

一方、財産的損害はなかったものの、非弁行為者の行為、処理方法が不適切であることそのものを理由に不法行為責任を肯定することは、損害の算定根拠が明らかでないので非常に難しいと考えられます。

以上は依頼者との関係の議論ですが、相手方との関係について、弁護士法違反ということだけを理由に不法行為に基づく損害賠償請求を認容した裁判例は見当たりません。実際には、非弁業者は、しばしば違法・不当な処理を行うことがあります。すると相手方との関係では、例えば暴行脅迫などを用いて「交渉」をして「合意」を迫るなどの行為があった場合には、それについて不法行為が成立するということになるでしょう。

Ⅳ　相手方との関係

まず、非弁行為者と相手方との関係ですが、Ⅲで述べたように「交渉」に違法な方法を用いると、それについて不法行為が成立する余地があります。

次に、相手方と依頼者との関係ですが、非弁行為者の関与や代理によって合意が成立していた場合、これが無効になる可能性があります。

すなわち、非弁行為を目的とする委任契約は公序良俗（民法90条）に反して無効となる以上、代理権の授与も無効ということになり、非弁行為者の行為は無権代理になります（第2-1⑴Q14）。

ただし、弁護士法72条違反の行為の効力については、訴訟法上は無効とする裁判例（富山地判平成25・9・10判時2206号111頁〔28220548〕）はあります（第1-1⑶Q5）が、私法上の効果については、絶対に無効とまでは考えられていません（最一小判平成29・7・24裁判所時報1680号1頁〔28252248〕。なお、第2-1⑴Q14参照）。

そうすると、相手方との関係では訴訟法上の行為は無効となるが、私法上の行為については「内容及び締結に至る経緯等に照らし、公序良俗違反の性質を帯びるに至るような特段の事情」（前掲平成29年最一小判〔28252248〕）を考慮して、まさにケースバイケースで判断されるべきということになりま

第4　具体的問題例

す。

　この無効判断については、第4-5⑴Q103〜Q105で詳しく解説します。

⑵　非弁業者に依頼してしまったという相談

> **Q57**　非弁行為をする業者（非弁業者）に依頼してしまったという
> 相談を受けました。どのような対処をすべきでしょうか。

▼

> **A57**　非弁業者に何を依頼し何が行われたかや、既に成立した合意
> の有無や内容を把握し、合意があれば、必要に応じて無効主張
> あるい再合意などを行うべきです。また、報酬返還請求も検討
> すべきです。

解説

Ⅰ　非弁業者への依頼の有無の確認を

　基本的に、「非弁業者に依頼をしてしまいました」という相談をされることはまれです。

　最近はインターネット上で法情報にアクセスしやすくなっていますので、市民の中には知っている方もいますが、通常は、弁護士の職域や非弁問題に知識も関心もありません。また、そもそも非弁行為であると知っているのであれば依頼するということはなく、知らないからこそ非弁業者に依頼をしてしまうのです。

　ですから、通常、非弁業者への依頼の事実は、事情の聞き取りの中で判明するということになります。

　特に「非弁業者に依頼しましたか？」と聞く必要はないですし、聞いたところでわかるようなことでもありません。ただし、相談されている事件につ

140

いて、非弁業者に過去に依頼している、一部でも「処理」されていると、事件の結論に影響を与えることがあります。例えば、内容証明郵便で自己に不利な事実を自白している等はよくあることです。加えて、間違った法律知識を非弁業者から「伝授」されてしまっていることも考えられます。

そうすると、今後の事件処理において大きな差し支えとなるので、もし相談に来るまでに「弁護士以外の『専門家』」に相談したというような事情があれば、詳しく聞き取りをしておくことが無難です。

Ⅱ　非弁業者が行った行為の確認

もし、相談者について非弁業者への依頼の事実が明らかになったら、非弁業者がいかなる「処理」をしたか、どのような書面を作成したか、とにかく各事実を確認することが重要です（いかなる事件についてもいえることですが、「先行自白」のようなことをしている可能性もありますので特に重要です）。

ただし、非弁業者は、「依頼者」に適切に事前・事後の報告をしていないことも多く、相談者にいくら聴取してもわからないということもあり得ます。

その場合は、非弁業者に「確認」をせざるを得ないことになります。ただし、確認する際、委任契約があれば、受任者である非弁業者には、それに基づく報告義務（民法645条）がありますが、委任契約は無効という前提であれば報告義務があるとはいえません。

確認・報告を求める根拠としては、事務管理（民法697条）か、あるいは条理、信義則に基づくことになってしまいますが、「非弁行為であるから委任契約は無効である」ということは前提とし、若しくは明言しつつ、「事情を把握するために行った行為について報告を求める」というスタンスで行うのが相当でしょう。適切な報告がなければ、場合によっては損害賠償請求を予告してもよいと思われます。少なくとも、非弁業者は後始末について条理上の作為義務があると考えるべきでしょう。

第4－1(1)Q56の議論によれば、報酬分以上の金銭請求、つまり不法行為

に基づく損害賠償請求が認められるのは困難なのですが、適切な報告がなければ、それを請求根拠にすることができると思われます。

　なお、通常は、非弁業者は内容証明郵便を「自由に相手方にいうことを聞かせることのできる魔法の手紙」のように標榜していることが多く、既に内容証明郵便が発送されているのであれば、謄本ないしその写しの交付を受けていることは多いと思われます。また、非弁業者といえどもさすがに契約書は作成していることが多いので、その「委任」事項も重要な情報になります。

　加えて、非弁業者は、ウェブサイトで「○○を解決！」というような派手な宣伝をしていることも多いため、そのようなウェブサイトも重要な証拠になり得ます。

Ⅲ　報酬返還の請求

　繰り返し解説してきたとおり、弁護士法72条違反の行為を目的とするような委任契約は無効であり、非弁業者に報酬請求権は発生せず、支払済みの報酬については不当利得に基づく返還請求を行うことができます（第4-1(1)Q56）。

　したがって、非弁業者に対しては、委任契約は無効であると主張して、不当利得返還請求をすべきです。なお、予備的に不適切処理があれば、それに基づく債務不履行解除を主張してもよいでしょう。もっといえば、非弁業者は、ウェブサイト上での宣伝と契約内容や「委任」事項の処理に差異があることも珍しくありません。例えば、「詐欺被害解決！」とうたいながら、行うことは調査だけ（正体が明らかになっただけで詐欺業者が簡単に金銭を返すわけがありません）のようなケースもあります（第2-3(1)Ⅱ）。非弁事件において、ウェブサイトは、非弁行為やその悪質性（やる、できると表示していることを実際に行っていない等）の立証において重要な証拠です。必ず、すぐに印刷などして証拠化しておくようにしてください。

　そのようなケースで、純粋に調査だけであれば非弁行為にならず非弁行為が不成立になることもありますので、念のため、詐欺取消しも併せて主張す

142

べきです。

ところで、非弁業者の対応の実態ですが、素直に非弁行為を認めることはありませんが、訴外で、あるいは訴訟上の和解で返還に応じる見込みは十分あるといえます。なぜなら、非弁業者にとってみれば、「非弁行為であるから報酬は返還せよ」という判決が下ることは、事業の継続に深刻な影響を与えるからです。ですから、非弁行為であるという認定を判決で下されることを避けるために、その点を棚上げしての和解に応じる傾向があるようです。依頼者としても、お金が戻ってくればよいということがほとんどでしょうから、このような提案を断る理由は基本的にはないと考えられます。

このあたり（「事業」継続のために判決などによる違法認定を回避すべく、返金にはスムーズに応じることもあること）は、悪徳商法業者と共通するところがあるといえます。

Ⅳ 合意の取扱い

非弁業者関与の下で、既に何らかの「合意」が相手方と成立していた場合、その対処を検討する必要があります。

まず、第2-1(1)Q14で引用したとおり、判例上は、「内容及び締結に至る経緯等に照らし、公序良俗違反の性質を帯びるに至るような特段の事情」がなければ、無効にならないと判断されています。

そうすると、有効か無効か、どのように扱うべきかの判断が重要になりますが、これはいろいろな事情があり得ますので、別途第4-5(1)Q103～Q105で詳しく解説します。

いずれにせよ、内容の有利不利も十分考慮して、どちらにするのか決めることになると思われます。

もっとも、仮に有効であるという前提で行動するとしても、必ず、再度の合意をすべきでしょう。有効か無効かというのは、究極的には事後の裁判所の判断です。それがどちらになるかを、事前に100%正確な判断をすることは困難です。

そこで、無効とされるリスクを避けるため、仮に有効であることが見込ま

れる合意であっても再合意を目指すべきでしょう。これについては、相手方が特に合意に後悔をしているといった事情がないのであれば、無効とされるリスクを説明すればスムーズに応じてもらえることが多いと思われます。

逆に、無効であるという結論であれば、その前提で交渉をし、あるいは行動することになります。もっとも、判例のハードルは相当に高いとも解釈できますので、これはリスクのある判断です。安全策としては、やはり有効であることを前提に再合意を目指すということになるでしょう。

V　不適切な記載へのフォロー

非弁業者は、代理して交渉もできません。また、仮に法律に違反して交渉をしたところで、最終的に訴訟代理をすることはできません（民事訴訟法54条１項本文）。

そのため、非弁業者にとっては、何としても裁判外の「交渉」で解決することを目指すことになります。

そして、一方に非弁業者がつくような案件では、もう一方には弁護士がついていない、ということがほとんどです（弁護士が一方についている案件の場合、非弁業者は受任を避ける傾向にあります）。

そこで、非弁業者としては、弁護士がつく前に、それも相手方を驚かせて従わせようという趣旨と目的で、書面を作成して送付することがしばしばあります。

内容としては、（できるわけないのに）すぐに提訴するだの、刑事告訴だの（主張している行為が構成要件に該当しないこともしばしばあります）、なぜか「罰金」を請求するものなど、いろいろです。

思わず笑ってしまいそうになることも少なくないのですが、もちろん笑い事ではありません。このような不適切な記載は、徒らに相手方の感情を刺激し、円滑な交渉の妨げになることがしばしばあります。

このようなケースでは、受任通知に、率直に事情を記載しておくべきです。

具体的には、非弁業者が勝手に文面を作った（多くの場合、彼らは「依頼

1　個人からの相談

者」に、ろくに説明をしていません）もので、依頼者の意思を反映していない、撤回する、そもそも非弁行為であるので法的に無効である、という趣旨を伝えるべきです。

　もちろん、非弁業者の行為が法的に無効になるかどうかは、事案によります（Ⅳ参照）。しかしながら、非弁業者の行為が法的に有効であるとして、こちら側が得することはないため、こちらの意思に反するということで、この時点で無効を主張しておくことが適切です。

　また、法的な有効無効とは別に、記載された内容がこちらに不利な事実（いわば自白）を含み、それが後に訴訟で証拠提出された場合も、直後に反対の意思を表明しておけば、それを弾劾する事情として用いることのできる可能性があります。

(3)　非弁業者から非弁行為の該当性等を争われたら

Q58　非弁業者から報酬の請求を受けている、あるいは返還をこちらから請求する事件で、①これは非弁行為ではない、②非弁行為であるとしても、その部分の業務は無償で行った、③非弁行為について報酬の定めがあったとしても、それは一部である（他の部分は非弁行為ではない業務の報酬である）という反論を受けました。どのように再反論すべきでしょうか。

▼

A58　①については、第2-1(1)Q13等を参考にして反論をすべきです。通常は、事件性の要件ないし法律事務該当性、報酬目的性が問題になるでしょう。②については、そもそも報酬が必要な、すなわち有償の部分を依頼しないとその無償部分を行ってもらえないわけですから、報酬性は容易に認定できるでしょ

145

第4 具体的問題例

う。③はやや難しい問題ですが、契約書の記載だけではなく
て、報酬が調査や法律的な整序だけをする書面作成に比して高
額ではないかという部分がポイントになります。さらに、強烈
な「セールストーク」を展開している非弁業者の場合、ウェブ
サイトの写しなども証拠にすれば、非弁行為に当たるサービス
を提供することをアピールしており、むしろ報酬の主要な部分
は非弁行為の対価といえるのではないかと推認できることもあ
ります。

解説

I 非弁業者が非弁行為該当性を争うことは多い（①）

非弁業者が、非弁行為該当性を争うことは珍しくありません。

この問題は、個人からの相談に限らないのですが、非弁行為の主な被害者
は個人であること、非弁行為の該当性を争う非弁業者も基本的に個人相手の
業者であることが多いので、本項で解説します。

本件は要件該当性の問題であり、第2-1(1)Q13等で解説しましたので繰
り返しませんが、ここではよく争われるポイントと主張・証拠のポイントを
解説します。

基本的に非弁業者が争ってくるポイントは、事件性の要件ないし法律事務
該当性、報酬目的性といった点です。

II 事件性の要件を争われた場合の反論（①）

基本的に事件性不要説を主張すべきですが、予備的に事件性必要性の立場
からも主張すべきです。それらを前提にした判例によっても、紛争が現存し
ている事実や紛争の顕在化までは要求していません。そして、既に第2-1
(2)Q16以下で解説したとおり、そもそも非弁業者に依頼するような案件で、
潜在的にも紛争可能性がないということは滅多にないでしょう。

また、どの要件についても共通しますが、非弁業者はウェブサイトで派手

な広告をしていることが多く、それを証拠として利用することも有用です。これは繰り返しになりますが、紛争発生後、削除されてしまわないように請求書送付前にプリントアウトして証拠を保全しておきましょう。

非弁業者は自らの「専門性」をアピールすべく、複雑困難な事件の「『解決』実績」を表示しています。ですから、普段から本件も含めて紛争性のある事件を扱っていたのではないかと推認する有力な材料になります。

同様に、報酬が高額であること（非弁業者は、多くの場合弁護士よりも高額な報酬を請求します）も材料の1つになるでしょう。紛争性が潜在的にもないような案件で、なぜここまで高額な報酬をとるのか、紛争性があるがゆえに困難であり、だからこそこの報酬なのではないかという立論が可能です。

Ⅲ　法律事務該当性を争われた場合の反論（①）

法律事務該当性について、これは本当に誤解している非弁業者が多いのですが、「代理をしたら非弁になる。だから、自分は代理をしていないので非弁ではない」と反論されることがあります。

法律事務について弁護士法72条は「鑑定、代理、仲裁若しくは和解その他の法律事務」と定めています。法文で「Aその他のB」というときは、AはBの一例であり、包摂されると読むことになります。すなわち「代理」とは法律事務の一例であり、代理は法律事務ですが、代理でなければ法律事務にならないというものではなく、「鑑定、代理、仲裁若しくは和解」以外であっても法律事務に該当します。

第2-1(1)Ⅳで解説したとおり、法律事務には新しく権利義務を変動させたり、あるいはそれを保全、明確化したりする行為が含まれますので、法律事務該当性が認められないということはまれでしょう。

Ⅳ　報酬目的性を争われた場合（①）

報酬目的性については第2-1(1)Ⅱで解説しましたので、ここでは具体的な非弁業者の主張と反論について説明します。

よくあるのが、「報酬は受け取っていない」、あるいは「寄附である」というものです。

これもまた非弁業者がよく勘違いしているのですが、報酬目的性というのは、実際に報酬を授受したかどうかだけで決まるものではなく、法律事務の取扱い又は周旋という行為について、報酬目的があったかどうかで決まります。報酬をもらった・もらっていないということは、報酬目的を推認させる間接事実にすぎません。

ですから、名目いかんにかかわらず、実質的に判断することになります。より具体的には、他の案件ではどのようにしていたか、無料であるといいながら寄附等の名目で金銭をもらうことが常態化していたか、あるいは、その金銭の支払が法律事務提供の黙示の条件となっていたか等が重要な事情になるでしょう。著者が実際に経験した案件ですが、最初の問い合わせの段階などで、「寄附をお願いしています」などと案内を出しているところもあります。寄附や協賛金など、何らかの名目でお金をお願いされたことがないか、確認をしておくとよいでしょう。

程度にもよりますが、法律事務取扱いという相当の専門的知識や労力がかかるものについて、少なくとも業務といえる程度に反復継続し、しかも広告までしているということであれば、報酬目的性は優に推認できると思われます。

むしろ、問題として困難なのは、V以下で述べるように、法律事務部分は無償である、あるいは法律事務部分「以外」の報酬は認められるべきという反論です。

V　法律事務に当たる部分は無償で行ったという反論（②）

この反論もよくあるものです。例えば、家事事件について相談に応じると標榜し、有償では心理面のカウンセリングを行うが、それと併行して、無償で調停手続等について法律相談も行っているというものです。この他にも、詐欺被害について、事実調査は探偵の資格で有償で行っているが、返金のための「サポート」は無償で行っているというものや、インターネット上の誹

誹中傷投稿について、事実調査やコンサルティングは有償で行うが、削除請求の代行や弁護士紹介は無償で行うというものもあります（なお、コンサルティングも程度によっては、法的に専門性のある判断の提供すなわち「鑑定」ということで非弁行為になります）。

そもそも、有償の部分を依頼しなければ無償の部分についてサービスを受けられないのですから、前者の有償部分の報酬は無償と主張している部分の報酬にもなっているというべきでしょう。

例えば、ある品物を1つ買うと無償でもう1つついてくるというセールがあったとします。この場合、「1つ目はいらないから、その代わりタダで2つ目をくれ」ということはできません。そのような場合に、2つ目は純粋に無償といえるかという問題に類似するといえます。これは単に割引であるというのが常識でしょう。

立証としては、これもまたウェブサイトの記載が参考になります。両者について特に区別はしていない、付随して行われることが前提であり、分離して行うことが前提とされていない、法律事務部分のみを抜き出して提供している実態がないなど、区別がないということを推認させる事情が重要になります。

もっとも、法律事務部分は「無償」といえるケースはまずないでしょうから、実際にはさほど問題にはならない（非弁業者が実効的な反論ができない）ポイントであると思われます。

Ⅵ 法律事務に当たる部分はともかく、それ以外については報酬請求権があるという反論（③）

非弁行為を依頼する契約は公序良俗に違反して無効であり、したがって報酬請求権は発生せず、既払であれば不当利得として返還請求ができることが原則です（第4-1(1)Q56）。

一方、非弁業者が、その有する資格の範囲内や資格が不要な部分の業務については、契約は有効であるので報酬を支払うよう主張することがあり得ます。

第4　具体的問題例

　これについては裁判例があります。少し長くなりますが、指摘がわかりやすいので以下に引用します。

　「控訴人は、仮に本件各契約が無効であるとしても、少なくとも書類の作成等の行政書士が行うことのできる業務の部分に関する報酬請求は認められるべきであると主張する。しかし、本件事故に関する書類の作成自体が法律事務に当たり、行政書士法1条の2の対象外というべきであるから、本件各契約に基づき控訴人が行った業務は全体として弁護士法72条違反の評価を受けるものであり、契約書の記載等から書類作成に関する費用のみを計算することは不可能ではないとしても、不可分である本件各契約の一部分についてのみ報酬請求権の発生を認めることは相当でないというべきである。」（大阪高判平成26・6・12判時2252号61頁〔28231763〕）。

　この事件のポイントは、「契約書の記載等から書類作成に関する費用のみを計算することは不可能ではないとしても、不可分である本件各契約の一部分についてのみ報酬請求権の発生を認めることは相当でない」としている点です。契約が不可分であれば、計算上可分であっても、一部についてのみ報酬請求権を肯定することはできないと判断されています。ですから、契約が不可分といえるかがこの論点におけるポイントということになります。

　不可分の理由について、引用の裁判例は詳細を述べていません。ですが、「本件事故に関する書類の作成自体が法律事務」とし、行政書士が適法に行える「権利義務又は事実証明に関する書類」（行政書士法1条の2第1項）の作成も、法律事務に該当するような書類作成も、同じく書類作成であるため、両方の類似性を重視したのではないかと思われます。

　そうなると、不可分であるといえるかどうかは、法律事務に当たる部分とそうでない部分の類似性が問題になります。

　そこで具体的に検討してみると、法律相談か、他の種類の相談（しばしば「コンサルティング」という表現も使われます）かは、相談という点で類似するので不可分といえるでしょう。また、書類作成についても、法律事務に当たる書類作成とそうでない書類作成、あるいは、司法書士ないし行政書士の業務範囲で行える書類作成とそうでない書類作成は類似しますので、不可

150

1　個人からの相談

分であるといえます。

　実際の事件で類似性がない、不可分でないといえるような例は少ないと思われます。

⑷　「非弁業者から書類が届いた」という相談

Q59　非弁業者から書類が届いたという相談にはどのように対応すべきでしょうか。

Q60　非弁業者について、「無視」する以外の留意点はありますか。

Q61　非弁業者から書類が届いた事案で、相手方本人に連絡をする場合の留意点を教えてください。

▼

A59　法令を遵守しない「代理人」との交渉には無効になるリスクがあり、さらに、犯罪や違法行為の被害に遭うリスクがありますので、「相手にしない」ということが基本のアドバイスになります。ただし、一般市民は「非弁業者」という概念を知らないことがほとんどですので、非弁業者であるかどうかの判断がまず必要です。また、非弁業者から書類が届いたということは、現にトラブルがあることを意味することには変わりはありません。ですから、そのトラブルについて対応するのであれば、非弁業者ではなくて相手方本人と交渉をする必要があります。

A60　自分は代理交渉できる、非弁行為をしていないという確信を持っていたり、それが原因でA59の指摘のような違法行為に及んだりするリスクがあります。ですから、交渉の点では無視す

第4　具体的問題例

るとしても、非弁行為であることを端的に指摘して「警告」を
するべきです。

A61　　相手方本人は非弁業者に任せているという認識であり、ま
た、連絡は非弁業者を介し、直接対応はしないように指示を受
けている可能性もあります。ついては、非弁業者を代理人に立
てて交渉できない理由、そして、非弁業者を介して交渉するこ
とが双方のためにならず、特に相手方本人の利益にもならない
点を強調して伝えることが大事です。

解説

Ⅰ　非弁業者への対応は「無視」が原則

　非弁業者との交渉には、法律上・事実上の両面のリスクがあります。
　まず、法律上のリスクについていえば、合意が無効になる、訴訟が却下さ
れるということが考えられます。
　また、事実上のリスクとしては、非弁業者は、しばしば不合理な請求をし
てきたり、場合によっては架空請求に近い請求をしてきたりすることもあり
ますので、最終的に達する合意が、非弁業者の依頼者・相手方の双方にとっ
て合理的であることが担保されません。
　加えて、非弁業者は非弁行為という法律違反・犯罪行為をしているわけで
すから、さらに別の犯罪に該当するような行為を交渉過程で手段として用い
る可能性も否定できません。このような者と交渉を続けることは、違法行為
の被害に遭う可能性があるということですから、この点からも相手をするべ
きではありません。

Ⅱ　非弁業者に「警告」する

　非弁業者との交渉はⅠのようなリスクがありますが、一方で、こちら側が
無視すると、「別の交渉手段」として、例えば相手方の勤務先に（怪）文書

152

を送付するといった行為に及ぶ可能性があります。

　交渉をすることもリスクですが、しない場合のリスクも全く否定できないということになります。

　このような場合、交渉あるいは請求については「無視」するか、非弁行為に該当すること、無権代理となる可能性があること、犯罪行為であることを端的に指摘して、警告を行って関わりを断ち切るということがよいでしょう。なお、この際、そもそも相手方には交渉をする権限はないのですから、請求に応じる・応じない等の回答や、別の提案等を同時にする必要はもちろんありません（以下に述べるとおり、それは相手方本人との間で行うべきことです）。

Ⅲ　相手方本人への連絡時のコツ

　代理人等を名乗る非弁業者について、無視又は排除という方向で行動するべきなのは以上で説明したとおりです。ですが、そのようにしても、相手方本人の連絡先がわからない、連絡がとれない、応答してもらえないといった理由から事件が進まないというケースも十分あり得ます。

　このような場合でも、通常、非弁業者が「代理」で送付する文書には相手方本人の住所が記載されることが多いので、連絡先がわからないということはまれです。ただし、住所の記載もなく、相手方本人の連絡先がわからない場合は、別途調査するか、あるいは、非弁業者への返信に「直接交渉する必要があるので、本人から連絡させるか連絡先を教えられたい」旨記載するということになります。

　次に、連絡がとれても、相手方本人が応答してくれないことがあります。これは、単に、請求に応じたくないとして相手方本人自身の判断で応答していないこともあれば、非弁業者が相手方本人に、連絡を自分でしないように「指導」をしたため応答をしていないということもあり得ます。

　このような場合、裁判手続で解決を目指すのが通常でしょうが、訴外で解決することが相当であるかその見込みがある場合、どうにかして非弁業者の指導から引き剥がす必要が出てきます。

153

第4　具体的問題例

　方法としては、これまで繰り返し解説してきたように、そもそも非弁業者を利用することが相手方本人のためにもならないことを説明するということが考えられます。少なくとも、自分の利益に関わるということがわかれば、合理的な行動をする相手方本人であれば応答してくることが期待できます。

⑸　法律に詳しい親族・知人が協力をしてくれて…

Q62　　相手方に、その親族などが代理で介入してきているのですが、このような行為に問題はないのでしょうか。

Q63　　Q62の場合において、その「代理人」と連絡がとれない、あるいは、交渉がうまくいかないので、本人に連絡をとってみようと思います。このような行為に、特に弁護士職務基本規程上の問題はないでしょうか。

▼

A62　　原則として問題はありません。非弁行為の成立には、業務性と報酬目的性が必要であるからです。親族関係、友人関係を原因として、親族や友人が相手方の代理人として行動することは、非弁行為にならないことがほとんどです。

A63　　弁護士職務基本規程上は問題はありません。同規程52条に「法令上の資格を有する代理人」とあるところ、民法上の代理をしている非専門職はこれに含まれないからです。ただし、非専門職に代理させている相手方本人は、その者に非常に強い信頼を抱いているか、その者の影響下にある可能性が高いです。このような者を無視する態度は、交渉において問題になる可能性があります。

1 個人からの相談

解説

Ⅰ 一般的に代理は認められる

そもそも代理とは民法上の制度であり、私的自治の原則が妥当します。

これまで、代理が非弁行為になる場合の無効リスクの問題ばかりを論じてきましたが、誰であっても、誰の代理も自由にできるということが法律上の原則です。

代理が非弁行為になるには、業務性や報酬目的性が認められなければなりません。ですから、Q62のように、親族や友人がたまたま1回に限り代理行為をしたり、あるいは、それについて謝礼をもらったりする行為について非弁行為と評価されることはまれでしょう。

もちろん、「親族や友人の代理人」は、交渉、接触の仕方にそれなりに注意が必要な存在ではありますが、非弁行為であったり違法であったりするというものではありません。

Ⅱ 非専門職が代理人の場合は、その代理人を飛び越えて交渉をしても法的な問題はない

民法上、代理権を授与したからといって、本人が行為能力等を失うわけではなく、代理人に依頼した事項にかかわらず、併行して本人は自分のために交渉や法律行為を行えるということになります。

ですから、代理人がある場合に本人相手に交渉や合意をしても、それが無効になるということはありません。

もっとも、法律上有効であるとして、弁護士倫理上の問題があります。弁護士にとって、受任通知に受任弁護士である自分を飛び越えて本人に連絡をしないと要請すること、逆にそのような要請に従うことは常識となっています。

これについては、弁護士職務基本規程上に根拠があります。同規程は、「弁護士は、相手方に法令上の資格を有する代理人が選任されたときは、正当な理由なく、その代理人の承諾を得ないで直接相手方と交渉してはならな

155

い」（同規程52条）と定めています。

　同規程に「法令上の資格を有する代理人」とあるところ、これは、「弁護士のほか、事件の内容や金額により、外国法事務弁護士（外弁法3条〜5条の3）、司法書士（司法書士法3条1項6号・7号）、弁理士（弁理士法4条2項1号、3項）等一定の範囲で業として代理人として交渉をすることが法令上認められている者がこれに当たる」（日本弁護士連合会弁護士倫理委員会編著『解説弁護士職務基本規程〈第3版〉』（2017年）154頁）と解されています。

　親族や友人は「代理人」ではありますが、「法令上の資格を有する」わけではありませんので、Q62では同規程52条違反の問題は生じません。

Ⅲ　安易に代理人を飛び越えて交渉することは慎重に

　Ⅱで解説したとおり、弁護士職務基本規程上の問題はないといっても、Q62のようなケースで代理人を飛び越えて交渉をすることには慎重であるべきです。

　これは法律上の問題ということではないのですが、通常、非専門職の代理人が「就任」している場合、本人との間には従前より強固な信頼関係がある場合が多く、そして、代理人の意向が本人の意向より優先されやすいという傾向があります。

　このような場合、本人としては、直接連絡が来ても代理人と相談をしないで話を進めるということは難しいでしょう。

　また、代理人としては、顔を潰されたということで感情的になるかもしれないというリスクがあります。特に、代理人の方が立場的に本人より上位にある、本人が代理人の影響下にある場合、これで代理人が感情的になって不合理な交渉を始めてしまうと、本人はこれを修正することができず、したがって交渉は暗礁に乗り上げざるを得ません。

　ついては、弁護士倫理の問題以前に有利不利や、円滑な解決の観点から、直接連絡には慎重になるべきでしょう。

1　個人からの相談

⑹　ボランティアで相談を受けたいという相談

Q64　「自分はNPO等の団体であるが、ある問題について相談・コンサルティングをしたい。もちろん、法律相談については1円もお金をとらないで無料で行うが、問題はないだろうか」という相談を受けました。どのような点に注意をすべきでしょうか。

Q65　Q64の事例において、「それでは、法律相談に該当する行為について、寄附を求める等は一切しないことにするし会費も徴収しないことにするが、それなら問題はないか」と聞かれましたが、問題はないでしょうか。

▼

A64　団体の活動として法律事務である法律相談を行う場合は、報酬目的性以外の非弁行為の要件をすべて満たすことになります。したがって、報酬目的性の有無について、慎重な吟味が必要です。「報酬目的性」とは、まさしく報酬を得る目的があるかどうかが問題であり、実際に金銭を受け取ったかどうかは問いません。無料であっても、寄附金を求めることが常態になっている場合や、一定の会費を支払うなど何らかの負担をした人に限定して無料相談を実施するなどしている場合は、その寄附金や会費という「報酬」を得る目的があると認定できる場合もありますので注意が必要です。

A65　このような「団体」においては、寄附を求めることがよくあると思いますが、法律相談とは全く別の機会に、法律相談と関わりなく寄附を求めている場合でも、報酬目的性を肯定できてしまうことがありますので注意が必要です。団体が寄附を求め

157

る場合は、その寄附の使途や、あるいは団体の活動の紹介をすることが通常です。法律相談活動をしている場合、その活動のためにも寄附を使用することを説明したり、あるいは、団体自身の紹介として法律相談活動があることを述べたりすると、寄附を受けるために法律相談活動をしていると判断することもできるからです。

解説

I　団体の活動として法律相談等を行う場合は要注意

　非弁行為が成立するには、法律事務を取り扱うだけでは足りず、業務性や報酬目的性が必要です。

　第4-1⑸Q62の事例であれば、1回限りの行為であって業務性がないことがほとんどでしょうし、報酬目的性についても、たまたま事後に謝礼をもらったとしても行為そのものに報酬目的がないので、この点からも非弁行為は成立しません。

　しかし、Q64のケースのように、ある団体の活動として法律相談など法律事務の取扱いを行う場合には注意が必要です。

　団体である以上は、一定程度の組織性・継続性を持っています。その団体の活動として行う以上は、その活動については反復継続の事実か少なくともその意思が認められるのが通常でしょう。

　そうなると、残る報酬目的の要件を満たせば、非弁行為が成立するということになります。親族や友人知人のケースと異なり、業務性の要件が通常は満たされてしまうので、報酬目的性だけで直ちに非弁行為が成立してしまうということがこの事例のポイントです。

II　「無料」でも報酬目的は肯定し得る

　報酬目的性が「ない」ということは、無料であるということになります。

　しかし、逆は成り立ちません。法律相談について、法律相談料を徴収して

いなくても、報酬目的性が肯定できる場合はあります。

　例えば、無料相談であっても、事後に寄附をお願いしている場合、寄附という報酬を得る目的が認められるリスクが生じます。ここで必要なのは、行為について報酬目的があるかどうかであり、実際に得たかどうかは問われません。

　この点については非常に誤解の多いところなのですが、まさに法律相談等の法律事務を提供する行為について、報酬目的という一定の「目的」があるかどうかが問われています。実際によく「お金をもらうと非弁になるから」などという言説がありますが、事後にお金をもらう・もらわないということにより、既に行った行為が非弁行為であるかどうかについて、法的評価が左右されることはありません（ただし、これらの事情は、報酬目的という事実を推認させる重要な間接事実にはなります）。

　相談者が「無料で」ということを強調している場合、有料無料の問題と報酬目的の問題とを混同している可能性が高いです。その場合は、報酬目的と有料無料は、必ずしも一致しない概念であることを繰り返し、しっかりと説明するべきです。

Ⅲ　別の機会や法律相談の利用者以外からであっても、報酬を得る目的は肯定し得る

　非弁行為の要件である報酬を得る目的とは、法律相談の利用者以外から得る目的や、別の機会に得る目的があるというだけでも肯定することができます。法律の文言上、「法律事務を提供する相手方から」というような限定が付されていないからです（なお、日本弁護士連合会調査室編著『条解弁護士法〈第5版〉』弘文堂（2019年）644頁も同様の見解をとっています）。

　したがって、法律相談事業そのものは全くの無料で行い、利用者に対して特に寄附を求めないという態様であっても、非弁行為になり得る場合があります。

　具体的には、別の機会、場所で寄附を求める場合に問題になり得ます。この種の団体は、寄附を求めていることも珍しくありませんが、その際に、活

動内容を紹介することが通常でしょう。その場合、寄附者はそのような活動に賛助をして寄附をするのであり、また、自己の寄附により、その活動が活性化することを期待することになります。一方で、団体や団体の構成員の立場からすると、活動を続けるために寄附を得ると同時に、寄附を得るために活動で実績を上げようとするということも十分考えられます。

　もちろん、寄附目的での活動ではないということもあり得ますが、現実に寄附を求め、そして、そのアピールとして法律相談を行っていることを強調するのであれば、法律相談について報酬目的性が肯定される可能性が十分に出てくるのではないかと思われます。

Ⅳ　NPO団体等と紛争解決の関係について

　以上のような解釈を前提とすると、NPO団体、ボランティア団体といったものが、法律トラブル、紛争解決のための活動ができる場合は、相当に限定されるということになります。

　これについて、不都合を指摘する見解もあるかと思われますが、ただ、NPO団体であろうがボランティア団体であろうが、弁護士法72条との関係では「弁護士又は弁護士法人でない者」に変わりはありません。

　したがって、以上はやむを得ない帰結というべきですし、結局、相談に乗ることができたとしても訴訟代理を行うことまではできず（同法72条とは別に、民事訴訟においては、民事訴訟法54条1項が弁護士でなければ訴訟代理ができないと明示しているため）、事案の終局的な解決ができないこともあります。

　一方、非弁行為になるのは、あくまで法律事件に関する法律事務ですから、何らかの法律効果を発生させたり、それを保全したりするものではない場合（第2-1(2)Q16）、専門的判断である鑑定（第2-1(1)Q13）に及ばない場合には非弁行為の問題は生じません。

　ですから、NPO団体等においては、むしろ一般的な情報提供に注力し、トラブルの解決については弁護士や認定司法書士に任せることが相当であると思われます。なお、弁護士等の紹介事業ということになった場合、これも

1　個人からの相談

周旋による非弁行為が成立する余地はありますので、弁護士会の法律相談センター等を紹介することがより安全でしょう。

(7)　家賃管理会社が大家の実質的代理人として登場したら

Q66	不動産管理会社が家賃の請求を代行することに問題はありますか。
Q67	不動産管理会社が滞納家賃の督促をすることに問題はありますか。
Q68	不動産管理会社が明渡請求をしたり、その交渉をすることに問題はありますか。
Q69	家賃の督促と明渡交渉部分に追加料金がかからない、つまり無料である場合も問題なのでしょうか。
Q70	賃貸トラブル（例えば敷金を一部返さない）において、不動産管理会社が窓口の場合は、どうしたらよいでしょうか。

▼

A66	基本的に問題ありません。通知を代行しているだけで代理ではありませんし、あらかじめ、不動産管理会社と不動産オーナーとの間で合意して決まったタイミングに、決まった内容を発出しているだけにすぎないので「その他の法律事務」にも該当しません。ただし、不動産管理会社の判断が入る場合はその他の法律事務に該当するケースがあり得ます。
A67	「代理」又は「その他の法律事務」に該当しますので、非弁行為となる可能性が高いです。ただし、「期限から1週間が経

161

第4　具体的問題例

過しても入金がない場合に、定型文を送付する」程度であれ
ば、差し支えはありません。

A68　「代理」又は「その他の法律事務」に該当するとして、非弁
行為になります。

A69　はい。「追加料金なしで無料」であっても非弁行為に該当し
ます。なぜなら有料サービスと不可分一体であり「無料」であ
るとはいえないからです。また、そもそも非弁行為の要件は
「有料」「有償」ではなくて「報酬を得る目的」です。不動産管
理契約の誘因や維持のためにする行為である以上は、「報酬を
得る目的」は優に認められるでしょう。

A70　賃貸トラブルにおいて不動産管理会社が介入する行為は、
「代理」又は「その他の法律事務」に該当するので非弁行為に
なります。こういうケースでは、特に敷金を返金しないなど不
動産オーナーの「債務」の問題であれば、直接連絡をしてしま
うのが交渉上も効果的です。

解説

I　不動産管理会社と非弁行為の問題

不動産管理会社は、不動産オーナーから依頼を受けて不動産の管理や賃料
の請求、出納の代行等をする会社です。

このような管理行為のうち、事実上の事項（例えば、清掃などのメンテナ
ンス）であれば、これは非弁行為の問題が生じることはありません。

問題は法的な権利義務に関わる事項の処理です。具体的には、家賃の請求
であるとか、これの出納代行、家賃不払者への督促、明渡交渉、敷金（保証
金）の返金問題への関与です。

なお、以下で不動産管理会社の業務という場合は、特段の断りのない限り

は、家賃関連など法的な権利義務に関わる業務という趣旨です。

Ⅱ　非弁行為の該当性を要件から検討する

　それでは、不動産管理会社の非弁行為の該当性について、弁護士法72条本文の要件に従って検討をしていくことにします。

　どのような要件があるかについては、第2-1(1)Q13で検討しました。前提として、株式会社ですので、非弁護士であることは優に満たします。また、不動産管理会社は、これを事業として行っていますので、報酬を得る目的（ただし、この部分については後に検討するように、無料サービスであるとして否定する主張もあり得ます）、業務性も問題なく認められるでしょう。

　そうすると、法律事件に関するものであるか、法律事務に該当するか、という問題が残ることになります。

Ⅲ　不動産管理会社の業務は法律事件に関するものか

　法律事件の定義については、第2-1(2)Q16で論じたとおり、「『権利義務に関し争があり若しくは権利義務に関し疑義があり又は新たな権利義務関係を発生させる案件』を指すと解するのが相当」（札幌高判昭和46・11・30判時653号118頁〔27817549〕）であるというべきです。

　賃料の請求は、それ自体で権利義務関係を変更するものではありません。しかしながら、法律事件の要件は、「法律事件に関して」（弁護士法72条本文）とあるとおり、「関して」すなわち「関連する」ことが要件となっています。つまり、関連するのであればそれで足り、その行為そのものが「権利義務関係を変更」することまでを要求するものではありません。権利義務関係の変更の問題については、法律事務の該当性の問題として議論をする事項であるといえます。

　そして、賃料の請求は賃料の支払を目的として行うものです。支払があればその限りで賃料請求権は消滅します。そうすると、賃料の請求は賃料債権の消滅という権利義務関係の変更に密接に関わっているといえ、法律事件に関するものであるといえます。

また、賃料の督促についていえば、これは後の明渡しの要件となる信頼関係破壊に密接に関連します。また、これにより解除請求権が発生することもあり、やはり権利義務関係の変更に密接に関わっているといえ、法律事件に関するものであるといえます。さらに、明渡しについては紛争性が通常ありますので、権利義務に関して争いがあるともいえます。

そうすると、不動産管理会社の業務は、基本的には法律事件に関するものであると判断できます。

なお、この点について、あまりに広く解しすぎではないか、という指摘も考えられます。しかしながら、後の法律事務の該当性において適切に限定することはできますし、もともと法律事件（紛争性）という要件を設けること自体にも妥当性がない（第2−1(2)Q16）ので、やはり、このような解釈が妥当であると考えます。

不動産管理会社の業務は、法律に関係するものであれば、不動産オーナーと賃借人との法律関係に関与しますし、それに影響を与える案件に関するものであることが通常です。そうなると、Ⅱと同様に、この要件も優に満たすのがほとんどでしょう。

そうすると、不動産管理会社の業務が非弁行為に該当するかどうかは、以下に行為ごとに個別に検討しますが、「法律事務」に該当するかどうか、という点に尽きるということになります。

Ⅳ 不動産管理会社による家賃請求は非弁行為になるか

法律事務の該当性、問題については第2−1(1)Q13Ⅳで論じたとおり、「鑑定」「代理」「仲裁」「和解」が例示されて含まれています。また、それ以外の法律事務つまり弁護士法72条本文にいう「その他の法律事務」は、法律上の効果を発生変更したり、あるいは保全・明確化する行為をいいます。

不動産管理会社により家賃請求で問題になるのは、これが代理か、さもなくばその他の法律事務に該当するかどうか、という点です。

まず、代理に該当するかどうかですが、通常、家賃請求は不動産管理会社の名称を併記するとしても、不動産オーナーの名義で行うことが多く、代理

には該当しないケースがほとんどだと思われます。

なお、このような、使者・代行についても、実質的に行為を検討して代理と同視できるのであれば「代理」であるとして弁護士法72条本文を適用するという見解もあります。

しかしながら、実質的にみて代理といえるかどうか、については判断基準が定かではありません。仮に代理ではないとしても、「その他の法律事務」に該当すれば非弁規制を及ばせることは可能ですので、実際には問題はないと思います。

そうすると、この問題は、不動産管理会社の家賃請求が法律事務に該当するかどうか、という問題になります。

法律事務に該当するかどうかは、最初に述べたとおり、法律上の効果の発生・変更や、権利義務の保全・明確化があるかどうか、という問題です。

まず、通常の、つまり滞納等のトラブルが生じていないケースでは、法律事務に該当する可能性はほぼないでしょう。というのも、そもそも賃借人は定期的に家賃を納める義務を負っているところ、これは請求がなくても変わらない、つまり請求されて債務が発生するのではないから、法律上の効果を発生させるものではないからです。

また、家賃は定期的に発生し、その金額もあらかじめ合意により決まっています。そうすると、あらかじめ権利義務は明確にされており、請求により明確化されることもありません。つまり、この点からも、その他の法律事務に該当するとまではいえません。

V　不動産管理会社による滞納家賃の督促は非弁行為になるか

不動産管理会社は、家賃を滞納している場合、滞納者に督促をすることがあります。このような行為が非弁行為になるのか、という問題があります。

滞納者に対する督促は催告として契約解除の理由（民法541条）、あるいは信頼関係破壊の前提事実になります。

そうすると、滞納者に対する督促は、賃貸借契約の解除権の発生につながるわけですから、これは新たに権利義務を発生させ、変更する行為であると

して、法律事務に該当します。また、これに関与することで保全、明確化という役割も果たしていますので、この点からも法律事務であるといえるでしょう。

したがって、滞納家賃の督促行為は、原則として非弁行為に該当するということになります。

ここで、「原則として」と述べましたが、非弁行為にならない督促の代行もあり得ます。実際問題として、このような督促の代行は広く行われており、いずれも非弁行為とする解釈は現実的ではないでしょう（もっとも、著者としては、広く行われているから、法令を読めば違法になる行為でも適法になる、という趣旨の解釈にはもちろん賛同できません）。

当然のことながら、自分自身の法律事務を取り扱う行為は非弁行為となりません。ですから、督促行為であっても、それが実質的に不動産オーナーが行っているものであり、不動産管理会社は、事務処理について単純に代行をしているだけである、というケースも考えられます。

このようなケースであれば、それは不動産管理会社の行為ではなくて不動産オーナーの行為であるとして、非弁行為には該当しません。

具体的には、以下のいずれも満たすのであれば、非弁行為と評価される可能性は極めて低いと考えられます。

① あらかじめ決まったタイミング（期限徒過から1週間など）で行う
② あらかじめ決まった文案により行う
③ ①と②は、不動産オーナーとの合意により定まっている
④ 不動産管理会社は、賃借人（滞納者）と交渉せず、また、連絡にも応答しない（連絡の転送は可）

要するに、あらかじめ定まった不動産オーナーの意思に基づいており、そこに不動産管理会社の意思が介在する余地がない、というのであれば、それは実質的に不動産オーナーの行為である、ということがいえます。

一方で、来訪や電話で督促となると、定型的に話を進めることは難しくなります（賃借人も話に答えるわけですから、こちらとしては、あらかじめ定まった定型文を話す、ということはできなくなります）ので、やはり非弁行

為に該当する可能性が高いでしょう。

Ⅵ　不動産管理会社による明渡交渉は非弁行為になるか

不動産管理会社による明渡交渉は、定型化が不可能であるという性質上、非弁行為になります。賃料の督促のように、例外を観念することも困難です。

なお、明渡交渉については、これを非弁行為と判断した判例があります（最一小決平成22・7・20刑集64巻5号793頁〔28167530〕）。

この事件は、解体予定のビルからの立ち退きを求めた事例であり、賃料不払のケースではありません。しかしながら、行為そのものは、明渡しを目指して交渉をするというものであり、判例も「全賃借人の立ち退きの実現を図るという業務」と評価しています。そうすると、賃料不払についても、この判例は妥当すると思われます。

Ⅶ　報酬目的の問題

不動産管理会社は、賃料について督促が必要になったり、あるいは明渡しを求める必要が生じた場合でも、それについて追加料金をとらないことがあります。

そうすると、この部分、つまり督促や明渡しについては、無料で行っているから非弁行為にならないのではないか、という問題があります。これは、この分野に限らず、非弁行為になる（法律事務になる）部分については無料で行うから問題がない、ということで反論の材料にされているところです。

この問題については、第4－1(3)Q58で詳細に解説しましたし、裁判例もあるところですので繰り返しませんが、要するに、仮に無料部分というものがあったとしても、有料部分と不可分一体であれば、全体として報酬目的が肯定できる、ということです。

契約者ではない不動産オーナーが「家賃の督促とか明渡交渉は無料でやってくださるのですよね？　それでは、その部分だけ依頼しますので、無料でやってください」といっても、これを引き受ける不動産管理会社はないと思

います。

そうすると、結局、他の有料サービスと不可分一体であって、無料の部分は他のサービスの料金に含まれている、あるいは、他のサービスの契約を締結させる、続行させるために無料サービスを提供しているということで、報酬目的は優に認定できる、ということになります。

Ⅷ　不動産管理会社の非弁行為への対応

非弁行為の対応の一般については、第4−1(4)Q59〜Q61で触れたとおりです。

ただし、不動産管理会社のケースでいえば、有効なのが、本人つまり不動産オーナーへの直接連絡でしょう。

これについては第4−1(5)Q62、Q63でも触れましたが、弁護士は弁護士職務基本規程52条で、相手方に法令上の資格を有する代理人がついている場合に、本人に直接連絡をすることは禁じられています。

しかしながら、非弁である場合はもちろん、非弁でない場合も、この52条は、あくまで法令上の資格を持つ者が代理人の場合にしか適用されません。

ですから、不動産管理会社が代理人を名乗っていても、直接不動産オーナーに連絡をすることに差し支えはありません。

そしてこれは、賃借人に弁護士がついていても、いなくても、いずれでも非常に有効な手段です。

特にトラブルが多いのは敷金の返還ですが、不動産管理会社から、その一部又は全部の返還を拒まれている場合、その主張には理由がないとして、不動産オーナーに直接連絡をするというのは効果的な手段です。

不動産オーナーとしては、紛争にならず、自分の手を煩わさないで敷金の返金額を減額できれば、利益しかないということになります。一方で、直接連絡が来る、つまりは矢面に立たされると、そういう苦労をしてまで返還を拒むべきか、という検討の余地が生じます。

「不動産管理会社に任せておけば、敷金の一部は返さなくても済む」というような考えを持つ不動産オーナーもいないわけではなく、そういうケース

では、このように直接連絡で交渉の場に引っ張り出すというのは、有効な手段です。

第4　具体的問題例

2 企業からの相談

(1) はじめに－大企業も知らない非弁規制と一般論

Q71 企業における弁護士法違反のリスクや、弁護士法に関する意識、理解の現状について教えてください。

▼

A71　基本的に企業活動において弁護士法が問題になることは珍しいです。ですから、特に事業の内容そのものが法律事務に類似するとか、あるいは、弁護士と関係するような事業でない限り、特別に注意をする必要はありません。ですが、弁護士法の問題がクローズアップされるようになったのは最近のことであり、ほとんどの企業で弁護士法や非弁問題というものについて意識はしていません。ですから、特に法律事務や、弁護士向けあるいは弁護士が関わる新規事業の適法性について相談を受けた際は、単に聞かれたことに答えるだけではなくて、弁護士法や弁護士職務基本規程、そして弁護士の業務広告に関する規程について積極的に検討して回答することは不可欠です。

解説

I　大企業も知らない非弁規制

　繰り返しの指摘になりますが、弁護士法、非弁行為の規制というものは、弁護士や司法制度にとって重要なものであるにもかかわらず、一般市民はもちろん、弁護士自身も十分に認知していません。

　当然のことながら、企業は、大企業であったとしても、この種の規制をよ

く認知していません。

　著者も、法律相談の中で弁護士法の話が出ることはありますが、企業から、直接、弁護士法について質問されるということはほぼありません。事業等の適法性について相談をしている中で、弁護士法に抵触する疑いがあると指摘して、初めて「え？　そんな規制があるのですか？」と気づくというのが実情です。中小企業だけではなく、法務部が充実しているはずの大企業ですら、そういわれることは、珍しくありません。

Ⅱ　企業が弁護士法に抵触するケースはまれ

　企業がその事業活動において弁護士法に抵触する、あるいは、そのリスクが生じるケースというのはまれです（だからこそ、知らずにそのようなリスクを負うケースがあるわけです）。

　考えられる主な類型については、(2)以降で解説しています。それ以外で、大雑把にいって問題が生じやすいのは次のような類型です。

---

① 　事業が法律問題に関わる役務を提供する場合
② 　弁護士向けの事業、若しくは、事業の執行そのものに弁護士が関与する場合

---

　①についていうと、典型的には、いわゆる助言・コンサルティングの事業を行う場合に問題になります。助言・コンサルティングが専門的な法律判断を伴うと、法律事務の一類型である「鑑定」になる可能性があり得ます。同様に、「お悩み相談」などと称して、法的な悩みの相談に応じる場合もリスクがあります。

　このあたり、何が「法律問題」かという判断は難しいですし、また、本来法律問題であるのにそうではないと軽信しているケースも多いので注意が必要です。

　②についていえば、典型的には弁護士向けの広告サービスなどがこれに当たります。弁護士広告規制が広範かつ複雑であり、ここで詳細を取り上げることはできませんが、通常、他業界では当たり前に行われている広告が弁護

士広告としては不適切であると判断されることも珍しくありませんので注意が必要です（このあたりは、弁護士法や弁護士職務基本規程における「紹介」規制と類似するところといえます）。

(2) 会社法務部の従業員と非弁行為

Q72 非弁護士が、会社法務部の従業員として法律事件について法律事務を行うことは弁護士法72条に違反しないのでしょうか。

▼

A72 違反しません。弁護士法72条は、自分自身の法律事件を取り扱うことまでを禁じたものではありません。そして、会社の従業員は、会社の手足として行動しており、いわば、会社は自分自身の法律事件を取り扱っているにすぎないので、同法72条には違反しないことになります。

解説

I 弁護士法72条は他人の法律事件の取扱いを規制している

他人の債権回収を請け負うと通常は非弁行為になりますが、自分自身の債権回収をする行為は、何ら非弁行為になるものではありません（ただし、債権回収目的での債権譲渡や会社合併をした場合には、非弁行為ないし弁護士法73条違反の問題は生じ得ます）。

同法72条は、条文上、他人の法律事件であることを要求していませんが、同法72条の趣旨（第1−1(1)Q1）に鑑みれば、他人の法律事件への関与を禁圧すれば必要にして十分ですし、自分自身の法律事件の取扱いまで制限することは、逆に、個人の権利実現の機会を奪うことになり不当ですから、このように解することが常識的でしょう。

「他人の」との定めが条文にないことについては、「自己の法律事件につい

て法律事務を取り扱っても本条違反にならないことは当然のこととして規定しなかったものと考えられる」（日本弁護士連合会調査室編著『条解弁護士法〈第5版〉』弘文堂（2019年）651頁）と説明されています。

Ⅱ　会社法務部の従業員の業務は非弁行為にならない

　企業にとって法務部とは、自身の一部であり、それに所属する法務部員もその企業の手足として行動しているにすぎません。

　すなわち、企業の法務部に所属する従業員の活動（法律事務）は、正しく企業自身の活動であり、企業自身の法律事件を処理しているにすぎません。

　したがって、他人の法律事件を処理するものではないので非弁活動にはなりません。

Ⅲ　例外的に企業の法務部の活動が非弁行為になる場合

　ただし、Ⅱは原則論であり、場合によっては法務部の活動であっても非弁行為になります。

　詳細は、第4-2(3)Q73以降で述べますが、法務部の活動が、その所属する会社ではない第三者の法律事件を取り扱う場合や、形式的にその会社の法律事件であっても、それは仮装されたものであり、実質的には第三者の法律事件である場合などが考えられます。

(3)　損害保険会社の「示談代行」と非弁行為

> **Q73**　損害保険会社の「示談代行」は弁護士法72条に違反しますか。
>
> **Q74**　会社の合併や買収をしたり、債権譲渡を受けたり、あるいは、債務を連帯的に引き受けたりして自己の権利義務ということにすれば、Q73と同様の構造となり、債権回収や債務の減額交渉等が行えるようになるのではないですか。

第4　具体的問題例

A73　　原則として違反しません。被害者は、保険の約款上、損害保険会社への直接請求が認められているので、損害保険会社は、自分自身の債務つまり自身の法律事件を取り扱っているにすぎないからです。

A74　　そのようなケースでは非弁行為になると考えられます。Q73は、保険契約の当初から被害者請求を認めるほか、種々の規制を遵守しているなどの事情がありますが、Q74の事例では、むしろ、紛争の発生後に「自己の法律事務」になるように仮装しているにすぎず、実質的には他人の法律事件を扱っており、脱法行為であると評価できるからです。

解説

Ⅰ　損害保険会社の「示談代行」について

　損害保険会社が販売しているほとんどの自動車任意保険においては、示談代行サービスが付与されています。

　これは、事故発生時に、被害者との損害賠償に関する交渉を損害保険会社が行ってくれるというものであり、契約者からすると、被害弁償の交渉という非常に大変なことを代行してもらえるので、頼もしいサービスであるといえます。

　ところで、示談「代行」という文字が示すとおり、本来示談交渉しなければならない契約者に代わって交渉をすることになります。そうなると、損害賠償請求事件について法律事務である代理等を行っていること、保険料という報酬をもらっていること、保険会社であるので当然に業務性もあろうことからすると、非弁行為に該当するようにも思われます。

174

Ⅱ 「示談代行」は、非弁規制との関係では自分自身の法律事件の処理

　示談代行が適法に広く行われているのは、もちろん非弁行為ではないためです。

　非弁行為ではない理由ですが、これは、非弁行為の要件である他人の法律事件（第4−2(2)Q72）であるとの要件を満たさないためです。

　ほとんどの損害保険契約の約款においては、被害者が保険会社に対して直接請求できるという定めがあります。これは、法的には、第三者のためにする契約（民法537条）となります。これにより、被害者は、損害保険会社に直接請求することができ、損害保険会社は、被害者との関係でも直接義務を負担するということになります。

　したがって、損害保険会社は、まさに自己の義務の履行、つまり自己の法律事件として、保険事故について被害者と交渉し、示談・和解を行うことができるという仕組みです。

　以上の構造というのは、ある意味かなり技巧的ですし、このようなスキームをいかなる場合でも無制限に用いることができるというわけでもありません。

Ⅲ 債権回収などで類似のスキームを用いることの可否

　Ⅱの説明を要約するのであれば、「自分の法律事件」であるとすることにより、弁護士法72条の適用を免れているということになります。

　それでは、Q74で指摘するように、会社合併や会社分割、債権譲渡、連帯的債務引受けにより権利者又は義務者になることにより、同法72条の適用を免れることはできないのでしょうか。

　これについては、基本的にできないと考えられます。

　まず、会社の買収の例でいえば、債権管理回収業に関する特別措置法に関する事件ですが、裁判例があります。この事件は、専ら不良債権のみを有することになった貸金業者である株式会社の全株式を買収して完全子会社とし、その完全子会社から不良債権の譲渡を受けて回収をした行為が債権管理回収業に関する特別措置法違反に問われたというものです（東京高判平成

175

第4　具体的問題例

27・11・5判時2284号136頁〔28241653〕）。

　この事件では、債権の譲り受けの時期を株式の買収時期であると認定して、企業買収という形式を使って債権管理回収業に関する特別措置法の規制を潜脱することは許されないと判断されました。

　法律事務の取扱規制については実質的に判断をすべきであり、別の法形式をとることにより潜脱することは許されないという、ある意味当然の判断をしたものであるといえます。

　そうすると、Q73も潜脱のように思われます。実務上これが許されて、Q74の場合が許されないのは、Q73の場合は業法により厳格な規制があり、相当規模の会社のみが関与すること、Q74の場合は不良債権のような事件が発生した後に「自己の法律事件」であるかのような形式を整えることに対して、Q73の場合は、事故発生前の契約時点で締結した約款に基づくという事情が影響していると考えられます。なお、保証会社が保証債務を履行し、求償権を取得して債権を行使する場合にも同様の問題がありますので、これについては、第4－2⑽Q86～Q89で解説します。

⑷　顧客「の」トラブルで非弁になる場合、ならない場合

Q75　企業が非弁行為をしてしまう典型としては、どのような例が多いのでしょうか。

▼

A75　一番多いのが顧客「の」トラブルについて業務を行ってしまう点です。不動産管理会社が顧客である家主と家主から不動産を賃借している賃借人との間のトラブルに関与するというのが典型です。また、従業員個人と顧客間のトラブルに関与するということもあります。

解説

I　会社の「法務部」が扱えるのは、会社自身のトラブルだけ

既に解説した（第4-2(2)Q72）とおり、会社の法務部が法律事件を取り扱えるのは、他ならぬ会社自身の法律事件であるからです。

ですから、会社以外の者の法律事件は、たとえ、会社の業務に関連性があったり、それに起因したりするなどの事情があっても関与をすることはできません。

A75で指摘していますが、実例として多いと感じるのは、飲食店において従業員が酔客に暴行されたなどのトラブルです。この場合、飲食店の業務と密接な関連性があるため、飲食店運営会社の法務部としては、この従業員のために酔客への損害賠償請求について交渉をしたいということになるでしょう。

しかし、従業員は従業員であって、会社とは別の法人格を持つ存在です。そうなると、従業員の法律事件は他人の法律事件ということになり、これに会社の法務部が関与することは非弁行為となります。

したがって、このようなケース（従業員と顧客とのトラブル）については、別に弁護士を依頼すべきということになります。会社の顧問弁護士に依頼するケースもあるでしょうが、従業員自身に落ち度や非違行為がある場合は、雇用関係との問題で会社と利益相反の関係になることもあるので注意が必要です。

この「従業員が被害者になった場合に勤務先会社が意図せずに非弁行為をしてしまう」というケースは、実はかなりあります。会社としては、従業員のためだし、業務に起因することですから、従業員へのせめてものサポートとして交渉してあげたい、という意向が強く働いているようです。

そして、このようなことをしてしまうのは、おそらく、「従業員が被害者ではなく、加害者の場合は会社が交渉できる」ということが影響しているのではないか、と思われます。

従業員が加害者の場合でも、もちろん、会社が従業員を代理して交渉する

ことはできません。従業員に対する損害賠償請求事件は、会社にとって他人の法律事件だからです。

　もっとも、会社は使用者責任（民法715条1項本文）を負担します。ですから、会社は、従業員の責任ではなくて、自己の損害賠償責任について交渉をする、自己の法律事件だから問題はない、という説明になります。このあたりは、損害保険会社の示談代行と似たようなロジック（両方とも、一見して他人の債務について交渉をしているようにみえて、法的には自らの債務について交渉をしているという点）です。

　加害者であれば交渉できるが、被害者であると交渉できない、というのは感覚として不自然です。このあたりに、会社が誤って従業員のために非弁行為をしてしまうケースが頻発する原因があるのではないか、と思われます。

　相手方が悪い意味でトラブル慣れしていると「それは非弁行為だろ」という指摘をされて警察に駆け込まれるなど、交渉上、不利になりかねませんので、用心するべきです。

Ⅱ　最近増えている不動産管理業のトラブル

　Ⅰで取り上げたのは従業員と顧客とのトラブルですが、他にも、顧客と第三者とのトラブルも問題になります。

　最近増えていると感じるのは、不動産管理業者が、顧客である賃貸人と賃借人との間のトラブルに介入するというものです。

　この種のトラブルは、住環境に直接関わるもので、特に居住している賃借人は感情的になっていることが少なくありません。賃貸人は、そのような賃借人との交渉は精神的にも負担が大きいとして不動産管理業者に頼るということも珍しくありません。

　ですが、このような場合、不動産管理業者は、賃貸人と賃借人という他人の法律事件に関与したとして非弁行為になる可能性があります。

　もっとも、不動産管理業者は、家賃の徴収など使者としての行為や事実行為をしているだけであり、紛争解決、クレーム処理について業として行っていない、これらについて報酬を収受していないとして、業務性や報酬目的性

が否定できるのではないかという指摘もあります。

これは難しい問題ですが、不動産管理業者は、通常、このような対応も明示又は黙示に契約に含めているケースが多いであろうこと、もちろん契約した顧客以外については紛争等に関与しないであろうことからすると、業務性又は報酬目的性は認定できる場合が多いのではないかと考えられます。

事実行為や、使者としてするような定型的な家賃請求、収受代行を超える範囲で賃貸人と賃借人の間の法律事件について関与する行為は、むしろ賃借人から非弁行為であると指摘を受けて（最近は、非弁行為に関する知識はインターネットでも入手することが容易です）新たなトラブルを生み出しかねません。結局、賃貸人のためにもなりませんので、そのようなケースでは、安易に不動産管理業者が対応するのではなくて、弁護士依頼を勧めるべきでしょう。なお、この問題については、第4-1(7)Q66〜Q70（個人からの相談、管理会社からの請求）で詳しく解説しています。

(5) 「コンサルティング」に要注意

> **Q76** 「コンサルティング」を業とする会社から相談を受けています。コンサルティング業務と非弁行為との関係で留意すべき点はありますか。

▼

> **A76** 「コンサルティング」あるいは相談・助言業務といったものについては、法律上、一部の分野については、一定の規制が設けられています。本書で取り扱っている弁護士法の関係でいえば、法律問題について専門的な法律知識に基づいて鑑定（判断）をして助言をする行為は、原則として弁護士又は弁護士法人でなければ行えません。このような相談については、その助言の内容が、法律事件に関する法律事務、特に法律事務の中で

も「鑑定」に当たる行為にならないか留意をすることが重要です。具体的には、個別の事件について特有の判断を提供するかどうかということがポイントになるでしょう。なお、「コンサルティング」という名目であれば、あるいは相談・助言であれば、特に法的規制がない、資格が不要であるとの誤解が多いため特に注意が必要です。

解説

Ⅰ 「コンサルティング」と法律

コンサルティングは相談・助言業務のことをいいますが、最近、様々な分野についてコンサルティングを行うと標榜する企業が増えています。

相談や助言といった業務は法規制があまり厳しくない分野であり、多くの分野で無資格で行うことができます。数少ない例外が、本書で取り扱う非弁規制や、金融商品取引法上の投資助言業務などです。

具体的に依頼者の代わりに何かを行うわけではないですし、最終的な判断は依頼者が行い、現実に法的規制もさほど多くはないということもあって、あまりコンサルティングと法規制について意識はされていないようです。

Ⅱ 実は「コンサルティング」は法律相談に該当することが珍しくない

コンサルティングが法的に規制される数少ない例が、本書で取り扱う非弁規制です。

そして、最近の社会の複雑化、様々な分野に法規制が浸透している結果、相談のニーズは法律分野に及ぶことが少なくありません。

そうすると、単に企業や経営、資金繰りについてコンサルティングをしているだけなのに、ついつい法律分野に話が及んでしまい、結果として、法律事務である「鑑定」に及び、非弁行為に至ってしまうということが考えられます。

実際にあった例としては、「多額の負債を抱えて破産や民事再生手続を選

択せざるを得ない状況に陥っていた会社の経営者らに、会社の再建手法として、会社分割をすれば、負債を旧会社に残し、資産を新会社に移すことによって、債務のない状態で事業を継続できると指南し（た）」（東京高判平成23・10・17東高刑時報62巻103頁〔28211220〕、なお上告後棄却）行為について、弁護士法72条違反が認められた裁判例があります。この事件で被告人は、「会社分割コンサルティング業を行っただけで、そのことの対価として報酬を得ていたのであって、『一般の法律事件に関して鑑定その他の法律事務』を行っていない」と反論しましたが、裁判例は「必要な書類を準備するなどしている」などの事情を指摘してこれを排斥しています。

　他にもコンサルティング名目で行った行為が非弁行為に該当するとされた事例は数多くあります。「コンサルティング」は、ともすれば非弁行為に踏み込んでしまうリスクのある行為であるといえるでしょう。

Ⅲ　法的な分野についてコンサルティングを行う場合の心得

　コンサルティング名目であっても法律事件について法律事務を行うことは制限されますが、だからといって、コンサルティングにおいて法的なトピックに少しでも踏み込んだら直ちに非弁行為になるかというとそういうわけではありません。

　非弁行為の要件として、法律事件と法律事務というものがあります。法律事件つまり、新しく権利義務関係を発生させたり、これを明確化・保全したりするという事項の処理でなければ法律事件ではなく、非弁行為とはなりません。また、法律事務の点では、コンサルティングにおいては「鑑定」該当性が問題になるでしょうが、これについても、専門的な法律知識に基づいて判断を提供するということに及ばなければ、法律事務とはいえません。

　前者の法律事件性については、報酬目的のコンサルティングが法律分野に及んだ場合に、法律効果の明確化・保全を目的にしないことはかなり珍しいと思います。そうすると、この部分は非弁行為該当性を否定することは難しいでしょう。

　一方で、「鑑定」の部分についていえば、あくまで「その」法律事件につ

181

いて判断を提供することが要求されます。そうだとすれば、一般的にどのような法律があるのか、ないのかといった程度の法制度を説明するのであれば、これに触れることはないと思います（仮にこれすら非弁行為ということになれば、大学法学部の授業や法律書籍の販売すら非弁行為になりかねません）。

したがって、コンサルティング業務において、法的分野に話が及んだ場合には、その具体的な事件を離れ、一般論として、どのような法律・法制度が存在するかの説明にとどまれば問題はありません。ですが、それを超えて、その相談者の事例ではどういう結論になるかといった法的判断に及んだ場合には、鑑定として非弁行為になり得るということになります。

この当該具体的事件を離れて一般論として法律情報を提供する行為は非弁行為にならないという点は実務上重要です。どうしても法律問題と関係してしまうような分野（遺言や相続など）についてコンサルティング業務を行う場合は、法律相談（鑑定）はできないが、一般論としての法律に関する情報提供だけはできるということにしておけば、非弁行為に該当するリスクを回避することができます。法律相談はダメだが、（一般的な）法律情報提供はよい、ということです。

⑹　グループ企業と非弁規制

Q77　親会社の法務部が子会社のために業務を行う、あるいは、共通の親会社を持つ子会社同士で法務部の業務を融通し合うなど、グループ企業間で法律事務を提供する場合は、非弁行為に該当するのでしょうか。

▼

2 企業からの相談

A77 　該当します。グループ企業間であっても、別個の法人格を持つ存在であり、法律事件の他人性を否定する理由はないからです。非弁行為であることを否定する法務省の見解も示されていますが、例示されているのは、そもそも法律事務に該当しない場合であって、グループ企業であることを理由に非弁行為における他人性を否定することはできないと考えられます。

解説

Ⅰ　グループ企業と非弁行為の論点

　純粋持株会社の解禁や、別法人にすることで倒産隔離ができる、組織運営上も明確に業務を区別して効率的な経営ができるということで、最近、会社規模の大小を問わずに複数の会社を設立してグループ企業を形成する例が増えています。

　ところで、新しく設立されたグループ企業は親会社に比べて規模が小さい、また、法務機能は集中させた方がよいということで、特に親会社が子会社に法律事務を提供することが合理的なケースもあり得ます。

　ところが、完全親子会社であっても、法律上は別の法人格を有する「他人」であることに違いはありません。企業内部の法務部がその企業のために法律事件に関して法律事務を提供しても、それは自分の法律事件であって、他人の法律事件ではないので、非弁行為の問題は生じません（第4-2(2)Q72）。ですが、グループ企業として法人の枠を飛び越えた場合は、他人の法律事件を扱ったことにならないのかという問題が生じます。

Ⅱ　グループ企業間の法律事務の提供であっても非弁行為になり得る

　グループ企業間であっても、法律上法人格は別であり、会社の枠を超えて法律事務を提供することは、「他人の」法律事件に関わったとして非弁行為に該当すると考えられます。

183

第4　具体的問題例

　これについて、完全親子会社の関係がある、あるいは、共通の完全親会社を持つというような関係があれば、実質的には同一人であるから「他人の」法律事件であるとの要件を満たさないという見解もあります。

　しかしながら、完全親子会社であっても別法人であるという前提から倒産隔離等のメリットを享受しているにもかかわらず、規制される部分においては実質的に同一法人であるとして規制を免れるという解釈は、いかにも脱法的であり不合理であるというべきです。

　もっとも、この点について法務省は、一定の場合には弁護士法72条に違反しないとの見解を発表しています（http://www. moj. go. jp/content/001185 737. pdf）。

　ただし、見解で非弁行為に当たらないとしている類型は、基本的には、あくまで一般的な見解や、契約書のひな形を提供する場合に限られています。この場合、グループ会社であるかどうかの問題ではなくて、そもそも法律事務である「鑑定」に該当しないので問題がないと考えるのが自然であると思われます。

　一方、同見解によれば、「一般的な法的意見にとどまらない法的助言」も、監督官庁等の監督があれば非弁行為にならない場合があるとしています。しかしながら、厳重な監督を受けていれば形式的に法律に違反する行為も適法化されるという議論は本末転倒というべきであって、支持できません（ただし、同様の解釈の問題ですが、第4-2(7)Q78や第4-4(3)Q98は、逆に適法化の余地があると考えられます）。

(7)　債権ファクタリングについて

Q78　いわゆる債権ファクタリングについて、弁護士法72条や73条の違反が生じることはあるでしょうか。

2 企業からの相談

A78 　実質的には債権回収業であるとして弁護士法72条に、また、他人の権利を実行することを業とするとして同法73条に、さらに無許可の債権回収業として債権管理回収業に関する特別措置法33条1号に違反する疑いが強いと思われます。ただし、銀行等が行う場合であって、かつ、紛争の誘発や違法取立ての防止という弁護士法73条の趣旨に反しないような特段の事情がある場合であれば、適法であると考える余地があります。

解説

Ⅰ　債権ファクタリングとは

　債権ファクタリングとは、種々の態様・形態がありますが、おおむね売掛金等の債権をファクタリング業者が買い取り、その代金を元債権者に支払う行為をいいます。

　通常は、ファクタリング業者は、自己の責任で買取債権を回収し、仮に回収できなかった場合でも売主に責任を追及することはありません。

　手形割引の債権版（ただし、手形と異なり、回収不能リスクはファクタリング業者が負担します）というべく、最近、インターネットで宣伝している業者も多く、流行しているようです。

Ⅱ　債権ファクタリングと弁護士法73条、債権管理回収業に関する特別措置法

　弁護士法73条は「何人も、他人の権利を譲り受けて、訴訟、調停、和解その他の手段によつて、その権利の実行をすることを業とすることができない」と定めています（「何人も」とあるとおり、これは弁護士も禁止の対象になります）。

　ファクタリング業者は、利用者から債権を買い取り、その債権を回収することを業務としていますので、まさに権利を譲り受けて実行することを業と

185

するといえます。

そうすると、必然的に債権という他人の権利を譲り受けて、それを実行して回収することを業とするので、同法73条に違反しないのかという問題が生じます。

債権管理回収業に関する特別措置法2条2項は「『債権管理回収業』とは……特定金銭債権の管理及び回収を行う営業又は他人から譲り受けて訴訟、調停、和解その他の手段によって特定金銭債権の管理及び回収を行う営業をいう」と定め、さらに、同法3条、33条1号は、無許可で債権管理回収業を営むことを罰則付で禁止しています。債権ファクタリングは「譲り受けて……回収を行う」わけですから、これらにも違反するということになります。

加えて、利用者はファクタリング業者から債権の代金を受け取りますが、この代金の原資は、将来ファクタリング業者が債務者から回収する金銭です。この資金の流れを実質的にみると、ファクタリング業者が利用者のために債権回収を行っているということで弁護士法72条違反の問題も生じ得ます。

Ⅲ　債権ファクタリングの適法性

この問題については、①不適法とみるか、②適法とみるか、あるいは中間的に③一定の要件の下に適法とみるかという3つの見解が考えられます。

① 　債権ファクタリングを不適法とする見解

Ⅱで指摘したとおり、債権ファクタリングとは、他人の権利である債権を買い取ってこれを回収つまり実行することにほかならず、ファクタリング業者はこれを業としているわけですから、形式的に考えれば、弁護士法72条、73条や債権管理回収業に関する特別措置法3条に違反するといえます。

条文に忠実な解釈ではありますが、現実問題としてファクタリング業が広く行われていること（ただし、事実として違反が横行しているからこれを許容するという考えには批判も多いと思われます）、すぐに資金が必要な利用者の需要を満たすという社会的に有益な機能を営んでいることから、形式的にすべてを否定することには躊躇を覚えます。

② 債権ファクタリングを適法とする見解

　ファクタリング業についての社会的有益性や、ファクタリング業が債権を譲り受けて実行することを業としないこと、回収を前提としないことを主張し、これらを前提として適法と考える見解もあり得ます。

　この見解については、社会的有益性があるから適法であるという考えは基本的に合理的であるとはいえません。今日、資格制度、許可制度が定められている事業はいずれも社会的有益性がありますが、これを全く自由にさせると弊害が生じるため資格や許可による制限を受けています。この見解を前提にすると、およそすべての資格制度、許可制度は無意味ということになり、そのような解釈は法的整合性が全くありません。

　加えて、弁護士にしろ、債権回収会社にしろ、種々の規制・監督を受けています。「ファクタリング」という名目さえ掲げれば、これらの規制・監督を一切潜脱することができると解することも、何ら合理性がありません。

　さらにこの解釈を貫けば、例えば交通事故の損害賠償等請求債権を譲渡するなどして、いかなる事件についても容易に第三者が介入できることになり、非弁規制の立法趣旨にも反することになります。

③ 債権ファクタリングを一定の要件の下で適法とする見解

　著者としては、基本的にこの見解が妥当であると考えます。

　判例は、「弁護士法73条の趣旨は、主として弁護士でない者が、権利の譲渡を受けることによって、みだりに訴訟を誘発したり、紛議を助長したりするほか、同法72条本文の禁止を潜脱する行為をして、国民の法律生活上の利益に対する弊害が生ずることを防止するところにあるものと解される。このような立法趣旨に照らすと、形式的には、他人の権利を譲り受けて訴訟等の手段によってその権利の実行をすることを業とする行為であっても、上記の弊害が生ずるおそれがなく、社会的経済的に正当な業務の範囲内にあると認められる場合には、同法73条に違反するものではないと解するのが相当である」（最三小判平成14・1・22民集56巻1号123頁〔28070183〕）と判断しており（ただし、これは、直接ファクタリングに関するものではなく、ゴルフ会員権の預託金返還をめぐる事件に関する判例です）、これは、債権管理回収

業に関する特別措置法3条の解釈についても妥当すると思われます。

すなわち、弁護士法73条を形式的に解釈するのではなくて、「弊害が生ずるおそれがなく、社会的経済的に正当な業務の範囲内にあ」れば、適法と考えるべきです。

Ⅳ　債権ファクタリングの適法要件

これについて裁判例等は明確に述べていませんが、いくつかの裁判例や立法趣旨を総合するに、おおむね、次の要件が満たされれば、適法である可能性が高いと考えられます。なお、ここでいう利用者とは、ファクタリング業者に債権を譲渡する者、対象債権とはその譲渡される債権、債務者とはその対象債権の債務者のことをいいます。

---

① 利用者と債務者が共に事業者であること
② 対象債権が事業活動によって生じた債権であること
③ 債務者が無資力ではなく、かつ、そうなる危険性もないこと
④ 対象債権について疑義がなく、かつ、そのような蓋然性もないこと
⑤ ファクタリング業者が対象債権について請求をしたが、債権の存否や範囲等に争いが生じ、あるいは、債務者の無資力により回収が困難になった場合は、外部の弁護士や債権回収会社に回収を依頼し、自ら回収をしないこと
⑥ ファクタリング業者において、相当な規模、体制が整備され、法令遵守の体制が整えられていること

---

①、②については、この範囲で認められれば、社会的有益性の観点からは必要にして十分であるからです。また、事業活動に関する債権であれば、おおむね機械的な処理に適しており、その他、一般市民の平穏を害するおそれも低いと思われるからです。

また、③、④については、回収が困難な債権を対象に含めると、前記の弊害が生じる可能性があり、このような債権は、額面に近い金額でファクタリング業者が取引に応じるとも思われず、そもそも事業者の当面の資金需要を

満たすという目的からも遠くなるからです。

⑤については、③、④を補完するもので、このような場合に、独立した有資格者が関与するのであれば、弊害の発生を防止しつつ、ファクタリング業者の利益も確保することができるからです。⑥は、①から⑤までを担保するものです。

以上は私見であり、この論点は、特にインターネットでファクタリングを標榜して業務を行う業者が増加していることにも鑑みると、今後、債権譲渡の有効性が争われるケースは増えてくるのではないか、裁判所の判断枠組みも整ってくるのではないかと思われます。

また、債権管理回収業に関する特別措置法が、今後対象債権を拡大するなどした場合には、整合性の観点から、（許可を得て行えばよいということで社会的必要性が低下するため）ファクタリング業が適法に行える範囲が狭まる可能性もあります。

究極的には、債権管理回収業に関する特別措置法のように、立法で解決すべき問題であると考えられます。

V　給与ファクタリングについて

最近、給与ファクタリングと称して、給与を買い取って現金を交付するというサービスが登場しています。

そもそも賃金には直接払原則（労働基準法24条1項本文）がありますので、買い取ったところで、その債権の行使は自由にできません（最三小判昭和43・3・12民集22巻3号562頁〔27000979〕）。

そのため、結局、ファクタリング業者としては、労働者が受け取った「賃金」を、労働者から回収するほかありません。

経済的実態として、債務者である使用者が一切関与することはなく、また、その買い取られた債権をファクタリング業者が実行する可能性もないわけですから、債権買取、つまりファクタリングということはできないでしょう。

その他、前記見解によれば、到底、ファクタリングが適法とされる要件を

第4　具体的問題例

満たすとはいえず、結局、弁護士法73条に違反する可能性が高いといえます。

　また、弁護士法73条以前に、給与ファクタリングについては金融庁が「給与の買取りをうたった違法なヤミ金融にご注意ください！」「いわゆる『給与ファクタリング』などと称して、業として、個人（労働者）が使用者に対して有する賃金債権を買い取って金銭を交付し、当該個人を通じて当該債権に係る資金の回収を行うことは、貸金業に該当します」と注意喚起をしています（https://www.fsa.go.jp/ordinary/chuui/kinyu_chuui2.html）。

　この問題は、非弁の問題というよりも、貸金業該当性、つまり闇金になるかどうか、という問題であるといえるでしょう。

⑻　リーガルテックについて

> **Q79**　「リーガルテック」とは何でしょうか。
>
> **Q80**　リーガルテックは、弁護士法72条に違反する場合があり得ますか。

▼

A79　リーガルテックとは、完全に定まった定義があるわけではありませんが、リーガル（法律）とテクノロジー（技術）とを合わせた造語であって、主にITを用いて法律に関する業務の効率化を図り、さらに進んでは自動化を図ることをいいます。

A80　今日提供されているようなサービスで、弁護士法72条に違反するようなリーガルテックのサービスは見当たりません。ただし、今後、実質的に、非弁護士が専門的な法律知識に基づく、具体的な事件についての判断を提供するような無限定なソフトウェア・サービスが提供された場合、抵触するリスクは否定できません。重要な判断要素としては、ソフトウェア・サービス

が判断しているのか、それとも利用者が判断しているのか、あるいは、ソフトウェア・サービスが判断している場合、それは、専門的な法律知識に基づく無限定で具体的な事件についての判断といえるのかどうかということがポイントになると思われます。

解説

Ⅰ　リーガルテックとは

　言葉の意義について、これは論者によるのでしょうが、おおむねリーガル（法律）とテクノロジー（技術）を合わせた造語であって、主にITを用いて法律に関する業務の効率化を図り、さらに進んでは自動化を図ることをいいます。

　昨今、非常に注目を集めている分野であり、多くの企業が参入していますが、一般利用者へのサービスというより、弁護士が、その業務を効率化するために用いているというのが現状のようです。

　広義には、判例データベースもリーガルテックの一分野に含まれるのでしょうが、特にリーガルテックと強調して述べる場合、例えば、類似の裁判例や、入力した事実・事情に基づいて有用な裁判例を探すなど、ある程度自動化された処理を提供するソフトウェア・サービスを指すことが多いようです。

Ⅱ　リーガルテックと弁護士法72条

　リーガルテックについては、これが弁護士法72条に違反するのかという問題が生じます。

　結論から述べると、現状、同法72条に抵触しかねないようなリーガルテックのサービスは存在しないようです。そもそも、現状の技術的な限界として、弁護士や法務部員などの判断のための資料収集をサポートしたり、外部的に電子的な文書の真正を確保したりするなど、ある程度機械的、補助的な

分野が中心になっているため、問題が生じる余地も少ないと思われます。

　以下に詳しく解説しますが、リーガルテックが弁護士法72条に違反するかどうかの問題については、リーガルテックだから、弁護士法72条に違反しない・する、というような大雑把な議論をするべきではありません。

　また同様に、あくまでリーガルテックのサービスを操作するのは利用者自身であるから、非弁行為に該当しない、というような把握もするべきではありません。サービス全体の内容を具体的に検討したうえで、法律事件に関する法律事務に該当するかを検討するべきです。

　なお、リーガルテックにおいて非弁行為該当性で問題になるのは、基本的に法律事件と法律事務の該当性のみです。業務性、報酬目的性、非弁護士性は、優に認められる例がほとんどだからです（例えば、株式会社が事業として行えば、前記３つは当然に満たす、ということになります）。

　この分野については、ほとんど先行研究がありません。詳しく分析したものとしては、松尾剛行「リーガルテックと弁護士法に関する考察」情報ネットワーク・ローレビュー18巻（2019年）があります。同論文においても、「弁護士法72条とリーガルテックについて正面から検討した文献は法律相談ソフトウェアについて触れている『弁護士のための非弁対策Ｑ＆Ａ』以外見当たらなかった」（同論文５頁）と指摘されています（なお、指摘の書籍は、本書の初版です）。

Ⅲ　リーガルテックと「他人性」の関係と実例

　あくまで弁護士法72条の規制は、他人の法律事件の処理についてしか適用されません。ですから、リーガルテックにおいて、「誰が」法律事務を提供しているかは、適法性の重要な要素になります（第４−２(2)Ｑ72）。

　仮にリーガルテックは、あくまで利用者自身が法律事務を取り扱うことを補助するにすぎず、法律事務の取扱者はサービスの利用者自身である、ということであれば、リーガルテックにおいて非弁行為該当性が問題になることはありません。

　これに近い理解として、グレーゾーン解消制度を利用した登記に関する回

答があります。

　グレーゾーン解消制度とは経済産業省が実施する制度で、事業の適法性について事業者からの照会を受け付けて、それを主務官庁に転送して回答を得て公表をするというものです。事前に適法性の判断が、それも主務官庁から得ることができるということで、ベンチャー企業などで活用されている制度です。

　これを利用して「WEBサイトを通じたサービス上で、利用者に本店移転登記手続に必要な書類を洗い出すための質問に対し、利用者の判断で回答させ、一義的な結果を表示し、利用者が入力した情報を自動的に本店移転登記の書類として生成する」というサービスが、司法書士法に違反しないか照会がなされ、回答された事案があります（https://www.meti.go.jp/press/2018/11/20181107008/20181107008.html）。

　それによると、あくまで「利用者が自己の判断に基づき」必要書類を作成するものであることを指摘したうえで、司法書士法に反しないという回答がなされています。

　これは、正確には司法書士法3条1項2号の該当性が問われたものであり、弁護士法72条本文の問題ではありません。

　しかしながら、司法書士法3条1項に定める業務は、本来的には法律事務です。司法書士法1条も「司法書士は、この法律の定めるところによりその業務とする登記、供託、訴訟その他の法律事務の専門家」と定めています。すなわち、司法書士法に定める業務は法律事務に該当することを当然の前提にしています。そうすると、弁護士法72条本文の議論は、そのまま、司法書士法3条1項にも応用できるといえます。

　回答においては「利用者が自己の判断に基づき、その入力フォームに用意された項目に一定の事項を入力」することを前提としたうえで、これを「当該利用者自身が登記申請書を作成する行為」と把握して、「（司法書士）法第3条第1項第2号に規定する事務を業として取り扱ったとの評価まではされない」と判断しています。

　あくまで利用者自身の行為であることが強調され、それを論拠にしている

第4　具体的問題例

といってよいでしょう。

　すなわち、「利用者の判断で回答させ、一義的な結果を表示」するものであること、また、対象が本店移転登記手続という、比較的形式的なものであることが重視されていると思われます。あくまで利用者自身が判断する、結果が一義的なだけではなくて、相当に形式的である、機械的に結論の導けるものではないと、この回答を前提にしても他人性がある、と判断されるケースもあると思います。

Ⅳ　リーガルテックと「他人性」に関する検討

　著者としては、Ⅲについて結論としては異議がありませんが、他人性を安易に否定することは相当ではなく、むしろ、法律事務の該当性（Ⅵで検討します）を実質的に検討して、その適法性を決するべきだと思います。

　この点、あくまで利用者の入力に基づくものであること、結果が一義的であること、最終判断は利用者自身が行うことなどを満たせば、いかなる場合も他人性を満たさない、という見解も考えられます。

　しかしながら、そのような見解を前提にすると、通常の法律相談も、相談者つまり利用者の説明する事情に基づくものですし、弁護士が判断を提供しても実際にどう行動するかは相談者の判断によるものです。また分野や事件によっては、弁護士の回答つまり結果が一義的であるケースもあります。利用者の入力に基づくものであること、結果が一義的であること、最終判断は利用者自身が行うことを論拠とすると、法律相談をはじめとする他の法律事務との整合がとれず、やはり妥当ではないと思います。

　むしろ、法律事件か、あるいは法律事務に該当するかを実質的に考察して結論を出すべき問題だと思います（Ⅱで指摘したとおり、非弁護士性、業務性、報酬目的性は問題にならないので、専らこの2点について以下検討することにします）。

Ⅴ　リーガルテックと法律事件性の問題

　リーガルテックは、2020年10月現在、登記書類や契約書作成業務を対象と

194

しており、これらについては、紛争性がないことがほとんどです。

　そこで、法律事件該当性について、紛争であることを要求する見解を採用すれば、（少なくとも今のところは）リーガルテックにおいて非弁行為の問題はほぼ生じなくなります。

　しかしながら、この点については第2−1(2)Q16〜Q19で検討したとおり、紛争性を非弁行為の要件と解釈することは妥当ではありません。この紛争性を要求する見解は、不合理であるだけではなくて、裁判実務上も支持されていません。そうすると、この見解に依拠することは不適切ですし、非弁行為と判断されるリスクも負担することになってしまいます。

　すなわち、法律事件の要件については、紛争の可能性があるか、あるいは法律関係を変動させる案件に関するもの、という程度に理解するべきです。

　以上を前提に検討すると、契約書の案件においては、紛争か、その可能性があることは、少なくとも珍しいといえます。登記についても、全くないというわけではありませんが、紛争の可能性があることは珍しいといえます。

　しかし、法律事件性を満たすのは、紛争の可能性のほか、「法律関係が変動」する案件というものもあります。

　契約書の作成や検討は、まさに法律関係を変動させる案件です。また、登記についても、法人の設立、対抗要件の具備、登記順位の確保という効果があり、これは法律関係の変動であるといえます。

　なお、この法律関係の変動について、「契約書の作成やアドバイスだけでは法律関係は変動しない。また、登記書類の作成についても同じことがいえるのではないか」という指摘があり得ます。

　しかしながら、弁護士法72条本文は、「法律事件に『関して』」と定めています。法律事件つまり法律関係の変動という要件は、その行為そのもので法律関係が変動するかどうかという要件ではなくて、行為が関わる案件が法律関係の変動に「関する」かどうか、という問題です。

　このように理解しないと、代理して交渉をしても、あるいは法的に専門的意見を述べても、最後の合意を取り交わす作業だけ行わなければ、法律関係の変動に関しない案件として、ことごとく弁護士法72条本文の適用を免れる

ことになり妥当ではありません。

そういうことで、法律関係の変動に関する案件については、法律事件性を満たす、と理解すると、登記書類や契約書類に関するリーガルテックは、いずれも法律事件性の要件を満たすということになります。

Ⅵ　リーガルテックと法律事務該当性の問題（一般の法律事務の該当性）

リーガルテックが法律事件に関する業務であるとしても、提供するサービスが、法律事務に該当するのでなければ、もちろん弁護士法72条本文の問題にはなりません。

最初に結論を述べると、現在の、それから（しばらくの間の）今後のリーガルテックは、利用者自身が業務をしているのではなく、サービス提供事業者が業務を行い、しかも法律事件性はあるが、法律事務に該当しないので適法になる、という整理になってくると考えられます。

まず、法律事務といっても様々な類型があります（第2-1(1)Ⅳ参照）。すなわち、代理や鑑定が例示された「法律事務」です。繰り返しになりますが、ここで注意が必要なのは、代理であれば法律事務に該当しますが、代理でなくても法律事務に該当する場合があること、「代理」や「鑑定」は、あくまで数ある法律事務の例示にすぎない、ということです。

現状のリーガルテックは、AIが当事者に代わって交渉をしてくれたり、あるいは、記録を読み込ませると自動的に次回期日の準備書面を作ってくれるとか、判決まで起案してくれるとか、そういうものはありません。

基本的に書類作成の補助を行い、あるいは、書類の各部分（契約書の特定の条項）について、一定の情報を提供するというものです。ここでは、そういう書面への部分的なアドバイスや、作成の補助を念頭において議論します。

リーガルテックの現状に鑑みると、法律事務のうち、代理、仲裁や和解に該当する可能性はないでしょう。前記のとおり、現状のリーガルテックは、基本的に書類作成の支援をするものにすぎないからです。

そうすると、法的判断の提供である「鑑定」と、例示以外の法律事務に該

当するか、という問題になります。

わかりやすいので後者の「法律事務」から検討することにします。

（代理等例示された以外の）「法律事務」とは、法律関係、権利義務を形成又は変更し、あるいは、それらを保全明確化する処理（の取扱い）のことをいいます（第2－1(1)Ⅳ参照）。

Ⅴで検討した法律事件の該当性とかなり重なりますが、法律事件の場合は「関して」であることが要件であり、法律事務の場合は、取扱いが要件です。

ですから、法律事件該当性の検討に当たっては、そのサービスそのもので法律関係が変動しないにしても、それが法律関係を変動する処理に関するものであれば、法律事件に該当するということになります。Ⅴにおいても、その前提で書類作成が法律事件に関するものであると判断しています。

一方で、法律事務では取扱いが要件です。提供されるサービス、業務「そのもの」で法律関係が変動したり、権利義務について保全・明確化がされることが要件となります。そうすると、契約書等の書類の作成だけでは、直ちに法律関係が変動するものではありません。権利義務の保全や明確化も、少なくとも取り交わし、署名が行われない限り、その効果が生じるものではありません。

したがって、リーガルテックが法律事務に該当する可能性は、書類の作成やチェックが業務内容になっている現状では、ないといえます。

Ⅶ　リーガルテックと法律事務該当性の問題（「鑑定」の該当性）

一方で、Ⅵで指摘した法的判断の提供である「鑑定」といえるかどうかについては、もう少し検討が必要です。

鑑定の意義については、日本弁護士連合会調査室編著『条解弁護士法〈第5版〉』弘文堂（2019年）653頁では「法律上の専門的知識に基づいて法律事件について法律的見解を述べること」をいうと解されています。

これを分解すると①法律上の専門的知識に基づいて、②法律事件について法律的見解を述べること、となります。法的専門的知識に基づくこと、法的見解を述べること、この2つであると要約できます。

このうち、②から検討すると、リーガルテックのほとんどすべてのサービスでは、法律について情報を提供しています。これが法律的「見解」といえるかどうかは微妙でしょう。単に、法律の定めとか、実務上の取扱いを羅列するだけであれば、「法律的見解」ではなくて「法律的情報」にとどまり、鑑定の問題は生じないというべきでしょう。

一方で、結果として、表示上は「法律的情報」であっても、その前提として、契約書の文言を解釈して、それに合致する情報を表示する、例えば、契約条項の中から強行法規違反の部分を見つけて指摘する、法律上の義務の加重・軽減がある場合にそれを指摘する場合は、「法律的情報」ではなくて「法律的見解」になる可能性があります。

この見解と情報の峻別ですが、特定の事件を前提にしなかったり、前提にしていても、共通して注意するべき法令についての情報の提供は、意見つまり見解とはいえず、ただの法律の情報だといえるでしょう。

ところが、具体的な事件、特に具体的な契約条項であるとか、定めの部分、具体的な申請におけるその申請内容の部分について、それに対応した情報ということであれば、「その点（記載）については、○○という法令が問題になる・関連する」という判断、意見つまりは見解を示しているということができます。

そうすると、一定の書類作成の支援を行うリーガルテックの場合、その書類の種類に応じて、必要となる法令やその解釈を表示するという程度では、法律的見解ではないので、弁護士法72条本文に違反する可能性はない、ということになります。

一方で、具体的な記載内容、例えば、契約書の各条文から、前記のように強行法規との齟齬や有利不利を判定して表示する場合、それは法律的見解ということになり、弁護士法72条本文違反の可能性が生じます（もちろん、後に検討するとおり、①を満たさないのであれば、問題ありません）。

現行のリーガルテックは、登記書類の中でも比較的単純なものを作成する場合などであれば、②つまり法的見解を提供しているとはいえないと思います。

一方で、契約書を分析し、有利不利などを判定し、さらに代替案を提案するようなものについては、前記の考えを前提にすれば、ただの法的情報であるとはいえないでしょう。そうすると、法的見解の提供に該当し、②は満たすので、①を満たすかどうか、ということが最後に問題になります。

　①は「法律上の専門的知識」を前提に、これに基づくサービスを提供することを要件としています。

　そこで、「法律上の専門的知識」の有無を検討するに、多くのリーガルテックのサービスにおいては、膨大なリサーチ、先例の蓄積により、どういうケースにおいていかなる法令の適用があるか、その帰結は何であるか、といったデータを蓄積しているにすぎません。

　「知識」といった場合、これを人間が保有しているものに限定しないとしても、たくさんの情報が記載されている書籍を「情報豊富な書籍」といっても、「知識豊富な書籍」とはいえません。そうすると、膨大なデータに基づいている、というだけでは、「法律上の専門的知識」が存在するとはいえないというべきでしょう。

　そうすると、そのサービスに「法律上の専門的知識」が存在しない以上は、「法律上の専門的知識」に基づきサービスを提供している、ともいえないと考えます。

　もっとも、以上はかなり「用語」の問題という印象の強い議論で、あまり理論的ではないともいえます。

　そこで、「法律上の専門的知識」が存在することを前提に、それに「基づき」といえるかについて、さらに検討してみたいと思います。

　現在、ほとんどのリーガルテックのサービスは、例えば書類の作成であれば、既定の書式を用意して、ユーザーの入力を援助する、ユーザーが通常はゼロから文章を作成するべきところ、テンプレートを選択して入力する、という仕組みを持っています。また、契約書のチェックであれば、文章の意味内容そのものを把握するのではなく、一定のキーワードを検出して、そこから、その意味合いを既定のパターンから選び出して判定（例えば、「専属的合意管轄」というキーワードから管轄合意と判断するなど）するというもの

です。

　いずれも、あらかじめ決まった内容を表示したり選択させるものであり、入力の意味内容の解釈は、キーワード検索によるというのが原則です。

　そうなると、こういう提示や検索は、専門的知識に「基づく」とまではいえないでしょう。例えば、法律相談の場において、相談者が述べる事件の類型から、書式集を交付したり、もらった契約書のデータから特定キーワードの検索結果の提示「だけ」をしたのでは、「法律相談をした」つまりは鑑定をした、とまではいえないと思います。これと同様のことがリーガルテックにおいてもいえると考えます。

　ただし、以上は、あくまで現状のリーガルテックのサービス水準を前提にしたものです。将来、文章の意味内容、しかも法律上の意味内容を人間のように理解するサービスが誕生した場合（そして、それはおそらく遠い未来の話ではないでしょう）、やはり鑑定の問題が出てくると思います。

　その場合は、特別法の立法で解消するか、若しくは、何らかの正当化事由があるとして違法性が阻却されるとの立論もあり得ます。

　著者としては、非弁規制というのは、紛争の誘発や、国民の健全な法律生活を害しないためにあるので、そのような支障がないのであれば、緩和することは立法政策としても妥当であると考えています。

　リーガルテックは、今のところ想定されるのは、あくまで意見の提供、助言になります。そうなると、紛争の誘発などの弊害は考え難いでしょう。

　ですから、紛争や交渉に直接関与せず、それに対する助言をするものでもない契約書のチェック・作成については、サービスの提供と広告の適正を確保することを条件とした緩やかな許可制を設けることが適切ではないでしょうか。

Ⅷ　法律相談とリーガルテック

　リーガルテックが対象とする範囲は非常に広範であり、今後、想像もつかないようなサービスが登場することが予想されます。そうすると、ここで、これは大丈夫でこれはだめ等、すべて予想することは不可能です。

もっとも、従前の弁護士法72条の解釈や、その立法趣旨などに従って考察していくと、「実質的に、非弁護士が専門的な法律知識に基づく、具体的な事件についての判断を提供するようなソフトウェア・サービス」は、同法72条に違反する可能性が生じてくると思われます。

　そこで、ここでは法律相談を例に挙げて考察することにします。

Ⅸ　自動化された法律相談は、誰が「提供」しているのか

　例えば、法律相談に答える完全に自動化されたソフトウェアが開発されたとします。このソフトウェアを利用した場合、相談に答えているのはソフトウェアなのか、それとも開発元なのか、あるいは利用者なのかという問題が生じます。

　あくまで弁護士法72条の規制は、他人の法律事件の処理についてしか適用されません。ですから、誰が法律相談をしているかは、適法性の重要な要素になります（第4-2⑵Q72）。

　多くのソフトウェアの使用にまつわる法律問題と同様に、このような場合にはソフトウェア自身が相談に答えていると考えることは、現行法と整合しないでしょう（例えば、P2Pソフトウェアが自動で著作物等をアップロードした場合、その行為者は、ソフトウェア自身ではなくてその利用者とされています）。

　そうすると、開発元か、ソフトウェア利用者のどちらかが法律相談に答えているということになります。

　これについては、その両方であると考えるべきです。まず、ソフトウェア利用者は、自分でソフトウェアを操作しているわけですから、自分自身が判断しているという側面を認めることができます。しかし、開発元は、そのような判断が可能になるまで、データを入力し開発するなどしているわけですから、少なくとも販売時、提供時にまとめて判断を提供したとも考えることができます。

201

Ⅹ　自動化された法律相談が弁護士法72条に抵触するか

　ソフトウェアを用いた法律相談の主体に提供事業者も含まれる以上、この
ソフトウェアの提供が「専門的な法律知識に基づく、具体的な事件について
の判断の提供」に当たれば、弁護士法72条に抵触する可能性が生じます。

　これは非常に難しい問題であり、まだまだ「現物」が出てきていない以
上、議論することは非常に難しいです。

　ただし、これについて、一律に違反すると考えることはおよそ合理的では
ないと思われます。一定の法的判断をまとめたものを提供する行為が非弁行
為になるのであれば、およそ、法律書籍の出版と販売、大学等での授業も非
弁行為になるので、そのような解釈は明らかに不合理です。

　一方で、いかなる事案についても法的見解を述べる行為を、ソフトウェア
を経由し自動化をすれば許されるとすれば、弁護士法72条の立法趣旨を大き
く損ねることになるので妥当ではありません。

　そこで、ここでは、そのソフトウェアが、「専門的な法律知識に基づく、
分野が限定されていない、具体的な事件についての判断を提供する」場合に
は、そのソフトウェアの提供行為は、同条が定める法律事件についての法律
事務の提供に当たると考えることとします。

　ここでいう「分野が限定されていない」とは、Ⅸで例示したような、自由
に文章で問いを立てることができるという形式であり、事件に限定・制約が
ないことをいいます。逆にいえば、あらかじめケースを50や100ほど用意し
て、各事例についてQ＆Aのような形式で質問と回答を提供するような場合
は（法律書籍の出版等と同視ができるので）同法72条に抵触するものではあ
りません。

　結局、自動車の自動運転プログラムの法律問題などと同様に、究極的には
立法で解決すべき問題とも思われますが（ただし、前記で議論した書類作成
支援よりも、紛争の誘発等のリスクが高いので、慎重な規制は必要でしょ
う）、現行法に従うと、以上のような解釈になると考えられます。

2　企業からの相談

⑼　有償で法律情報を提供するウェブサイトと非弁規制

Q81　法律情報を提供するウェブサイトを作りたいと思います。非弁行為との関係で気をつけることはありますか。会員制にして会費をとる場合の注意も教えてください。

Q82　法律問題に関する相談については、会社内の弁護士チームに担当させようと思うのですが、それでも問題はありますか。

Q83　会社は、「弁護士チーム」に対して、一切の干渉をせず、それについての報酬は、全額を弁護士チームの弁護士が受け取る、という体制を徹底しても問題になるでしょうか。

Q84　紛争処理を代理するのではなくて、業法等についてコンサルティングを行うだけであれば問題ないでしょうか。

Q85　逆にこういうウェブサイトにおいてできること、非弁にならないような工夫は何ができるでしょうか。

▼

A81　純粋に法律についての情報を提供するだけなら問題はありません。ですが、報酬目的での法律相談の提供になると、法律事件について「鑑定」という法律事務を提供して取り扱ったとして、非弁行為に該当することになります。会費を徴収する点については、それが定額であったとしても、対価性は否定できず、報酬目的が認められることになります。

A82　はい。非弁行為になります。実際に処理をするのが弁護士であっても、相談、案件を引き受けているのは会社です。会社が引き受けてサービスを提供している以上は、弁護士以外の者が

203

第4　具体的問題例

法律事務を提供したことになり、非弁行為になります。

A83　　非弁行為という結論は変わりません。問題は、会社が引き受けているという点です。内部に弁護士がいても株式会社は非弁護士であり、弁護士法72条の適用があります。

A84　　いいえ。法律についてのコンサルティングは法律相談であり、これは法律事務である「鑑定」に該当しますので、非弁行為になります。

A85　　すべての業務を洗い出し、それぞれ、弁護士でなくてもできる業務、弁護士でないとできない業務に分類します。そのうえで、弁護士でないとできない業務については、弁護士のみが取り扱うようにします。加えて、その業務の対価は他業務の対価と明確に分離し、それが客観的にもわかるようにするべきです。

解説

I　法律情報をネットで提供することと非弁規制

　法律情報を提供すること自体に、法的な規制はありません。誰であっても、法律についての情報を提供することはできますし、もちろん、業として、報酬目的で行うことにも問題はありません。

　法律に関する書籍は世の中にあふれていますが、それらの出版が非弁行為であり、出版社は弁護士法72条に違反する、などということにはなりません（仮にそうだとしたら本書ですら問題ということになってしまいます）。

　問題になるのは、法律情報の提供ではなくて、法律相談の提供になるという場合です。

204

Ⅱ 法律情報と法律相談の区別

　法律情報も、法律相談も、法律についての情報、知識の伝達と提供という点では共通します。

　そこで、ここでは、法律相談を定義付けることにします。法律相談に該当しなければ、非弁行為にはなりませんので、法律相談概念の把握が、本件のような問題においては、必要にして十分だからです。

　法律相談が非弁行為に該当する（なお、弁護士法74条2項で非弁護士が法律相談を取り扱うという標示は禁じられています）のは、弁護士法72条本文に該当するからです。

　ところが、前記の74条2項を除くと、弁護士法は、「法律相談」という言葉を使っておらず、かつ、その定義も明確にしていません。

　そこでこの定義が問題になるのですが、弁護士法72条本文は、法律事務の一類型として「鑑定」を挙げています。鑑定としては、法律上の専門知識に基づいて見解を述べることをいいます（第2−1(3)Q20）。

　法律相談は、相談者から事情や希望を聞き取って、そのうえで、法律上の専門知識に基づいて見解を述べることをいいますので、「鑑定」に該当するといえます。

　また、弁護士法72条本文は、その要件として「法律事件に関して」のものであることを要求しています。これは、権利義務に関し争いや疑義があるか、又は権利義務を発生・変更する案件に関するものであることを要求する要件です。

　以上をまとめると、法律相談とは、「法律事件（紛争可能性又は権利義務の発生変更のある案件）」に関して「鑑定（法律上の専門知識に基づいて見解を述べる）」することをいうとまとめることができます。

　逆に、これに該当しなければ、いくら法的な事項にわたる情報提供であっても、非弁行為の問題にならない、ということになります。

Ⅲ どこまでが法律情報で、どこからが法律相談か

　Ⅱを前提に、具体的に検討をしてみたいと思います。

まず、Q＆Aであるとか、法令の内容の解説、手続の流れの説明、といった情報の提供は法律相談に該当しません。

誰に対しても同じものを提供しており、書籍の出版と同視でき、具体的な閲覧者の案件を前提にするものではないから、「法律事件に関」（弁護士法72条本文）するとはいえないからです。

ですから、この点をいくら詳細に記載しても、例えば、多数人に同一の事実を請求原因と訴訟が提起され、それへの答弁書の書き方などの情報を掲載しているなど、現実の具体的事件、特定の事件を対象としない限りは、このような情報配信について弁護士法違反の問題が生じることは想定できないでしょう。

もちろん、「法律事件に関して」でない以上は、会員制にして会費をとる、月額固定料金とか、１つの記事について費用をとる、といったやり方でも全く問題が生じることはありません。

逆に法律相談に該当する可能性のある場合について検討します。

これは、具体的な事件について、つまり質問者の相談に対応して答える場合には「法律事件に関して」といえ、法律相談に該当する可能性が出てきます。

次に、Ⅱで述べたように、法律事件とは「権利義務に関し争いや疑義があるか、又は権利義務を発生・変更する案件」をいいます。例えば、許認可とか、自分の行為が業法に違反しないかの相談については、これに該当しないのではないか、という問題があります。

この問題ですが、これらのような相談も法律事件に関して行われるものであるといえます。なぜなら、許認可に関する案件は、公法上の「許可」を得るという新たな法律関係が形成される案件です。また、業法に違反するかどうかという相談についても、その適法について疑義がある案件といえますし、規制当局との間で紛争の可能性もあります。

そうなると、許認可や適法性に関する相談（コンサルティングと称するものももちろん含みます）は、法律事件に関する法律事務（鑑定）の取扱いであるといえます。

Ⅳ　法律相談にならない「相談」とまとめ

　Ⅲによれば、具体的な事件（案件）について、法律に関する相談をすると法律相談（法律事件に関する鑑定）になるということで、弁護士法72条本文の適用がある、ということになります。

　しかしながら、設例のような法律情報ウェブサイトは、厳密に法律情報だけを扱うだけでなく、それ以外の情報を取り扱うことが通常です。

　例えば、特定の業法に関して情報を提供するウェブサイトであれば、その業界の情報、トレンドであるとかそういう経営・営業上の情報も一緒に掲載することが、むしろ通常でしょう。

　このような情報提供はもちろん、これらに関する相談については、弁護士法72条本文の適用はもちろんありません。

　以上、ⅡⅢⅣを整理すると、次のようなことがいえます。

　Ａ．法律以外の事項に関する情報提供→弁護士でなくてもできる。

　Ｂ．法律以外の事項に関する相談→弁護士でなくてもできる。

　Ｃ．法的事項に関する情報提供→弁護士でなくてもできる。

　Ｄ．法的事項に関する相談→弁護士でないとできない。

　要するに、ＡＢＣについては弁護士でなくても可能であるということです。

　したがって、この種のウェブサイトにおいては、それぞれのサービスについてＡＢＣＤに分類をし、そのうえで、弁護士でないとできないＤの業務を洗い出すことが大事になります。そのうえで、Ｄについては弁護士が契約をする、形式的にも実質的にも報酬の分配や紹介料がウェブサイトを運営する株式会社との間で発生しないようにする、という工夫が必要になります。

　契約上の工夫については、第2-2(3)Q28とQ29で説明をしましたが、それに付加して次のような各点を意識すると合理的・効率的に、株式会社と弁護士とが協働することができると思います。

　①　弁護士はＤを行うことはできるが、弁護士でＡＢＣをやってもよい。

　②　株式会社と弁護士とが、ＡＢＣを共同して行ってもよい。

　③　Ｄを除いてもやれることは非常に多い。例えば、個別の相談はＤに該

当するが、過去の相談をＱ＆Ａにまとめて配信するのであれば、Ｃとして株式会社でも可能である。

Ｄに該当するかどうかの検討は判断に難しいところもあります。また、Ｄの結果をＣに還元する方法についても守秘義務であるとか、利用者の同意のとり方にも留意が必要です。

ここですべてのパターンを網羅することはできませんが、事業の実施において非常に重要なところですので、検討過程や結果は証拠化しておいた方がよいでしょう。

Ⅴ　よくある誤解

この分野については、いろいろと誤解があります。弁護士としては、そのような誤解に基づく協業を株式会社から持ちかけられ、そのまま協働すると、非弁提携に陥ってしまうリスクがあります。

代表的なのは、コンサルティングであるとか、アドバイスであれば非弁行為にならない、ということです。これについては、繰り返し述べてきたとおり、「鑑定」も弁護士法72条本文で明示されていますので、非弁行為に該当する可能性が生じます。

また、株式会社が提供しているサービスでも、法律相談、法律事務に該当する部分については、「弁護士チーム」に振るから問題はない、というような見解もたまに目にしますが、これも誤りです。

そもそも、そういう非弁規制を潜脱する行為を禁圧するのが非弁提携規制（弁護士法27条、弁護士職務基本規程11〜13条）です。

また、「弁護士チーム」が行うとしても、契約は株式会社と行っている以上、株式会社が法律事務を提供しているということになります。ある製品について販売免許を持っている人から仕入れたからといって、それの小売が無免許で行えるようになるわけではないことと同様の問題です。このように「弁護士チーム」を作ることでは、非弁行為、非弁提携規制を免れることはできません。

なお、法律相談部分は無料で提供するといっても、それは本体のサービス

208

と不可分だから報酬目的であることは否定できない、ということも本書で繰り返し述べてきたところです。

　さらに、弁護士報酬と株式会社に支払う報酬を分離するといっても、これはIVあるいは第2-2(3)Q28、Q29で解説したとおり、実質的に株式会社が弁護士報酬を受領するという結果になっていないことが必要です。

　具体的には、株式会社の取り分に、そのウェブサイトのブランドに関する対価が支払われているとか、あるいは、弁護士が株式会社に広告料やコンサルティング料名目で、同じくブランドに関する対価を支払っていれば、やはり紹介料や報酬分配の問題が生じることになります。このブランドに関する費用というのは非常に悩ましいところですが、これがあると非弁提携ということになりかねません（そもそも、非弁護士は弁護士業務を行えないのですから、弁護士業務に関してブランドを保有すること自体、あり得ないことです）ので、注意が必要です。

　第2-2(2)Q26で解説したとおり、非弁提携については、疑わしい者との提携すら禁止の対象になっています。それだけ、厳格な規制ですので、疑いが生じることのないよう、IVで触れたように、検討過程などは証拠化しておくとよいでしょう。また、弁護士と株式会社が、前記のような配慮について相互に遵守することを約束する「覚書」などの作成も有効です。

⑽　保証契約が非弁になるリスクについて

Q86	家賃や養育費を保証するビジネスに弁護士法上の規制はありませんか。
Q87	保証することが、なぜ、弁護士法に違反する可能性があるのですか。
Q88	弁護士法に違反する保証と、そうでない保証の判断要素は何でしょうか。

第4 具体的問題例

Q89 債務不履行が生じたが、保証債務を履行する前、保証人から主債務者に履行を促すことに問題はありますか。あくまで任意の請求、相談であれば問題はないのではありませんか。

▼

A86 保証事業そのものには弁護士法の規制は原則として及びません。しかし、態様によっては、弁護士法73条か、72条に違反する可能性があります。

A87 弁護士法73条は、権利を譲り受けて実行することを業とすることを禁じています。また、弁護士法72条は、債権回収業を禁止しています。保証をし、その債権を履行して求償することを全体として観察すると、これらのいずれか（特に前者）に該当すると評価できる可能性があります。

A88 かなり難しい問題ですが、①債権の紛争性・不履行リスクの高さ、②保証料の高さ、③事故債権の回収が主目的といえるかどうか、を考慮して決することになります。①類型的に紛争性が高い養育費債権については弁護士法に違反する可能性が高く、家賃については、その可能性は低いでしょう。また、②保証料が年間10％を大きく超えるのであれば、万が一の事故を保証する対価ではなく、求償して回収することが主目的といえ、弁護士法に違反する可能性が高くなるでしょう。③については、広告であるとか、付加サービス（不履行時に保証債務を履行する代わりに督促を代行するなど）からして、同じく求償（回収）が主目的といえるかを判断することになります。

2　企業からの相談

A89　いいえ。履行を促す行為自体、主債務という他人の権利について権利行使を代理し、あるいは権利を保全するもので法律事務に該当し、弁護士法72条に違反する可能性があります。任意の請求であっても、そもそも裁判外請求は（自力救済しない限りは）強制できないため結論を左右しません。相談についても、法律相談に該当することになります。

解説

Ⅰ　弁護士法72条、73条と保証・求償の問題

　弁護士法72条は、これまで説明（第2−1(1)Q13）してきたとおり、法律事務の取扱いを規制する定めです。

　弁護士法73条は、第4−2(7)Q78でも触れましたが、権利を譲り受けて実行することを規制する定めです。これは72条と異なり、弁護士も規制対象となっています（また、弁護士職務基本規程17条でも、係争目的物の譲り受けを禁じています）。

　まず、弁護士法72条との関係でいうと、保証契約そのものは同条に違反するものではありません。また、保証債務を履行することにより、保証をした者は求償権を取得します（民法459条〜462条）。これらも、原則として弁護士法72条の問題が生じるものではありません。保証債務の履行はただの債務の履行であり、法律事務の取扱いと何らの関係もありません。また、求償権を取得して、これを行使することも、まさに自分の債権の行使ですから、法律事務の他人性を欠き、同じく弁護士法72条に違反するものではありません。さらに、弁護士法73条との関係でも、同条は、あくまでも「他人の権利を譲り受け」ることを禁じているにすぎません。保証債務の履行は権利の譲り受けとは全く関係がありません。求償権の取得は、権利を譲り受けたことにより生じるものではなく、あくまで保証債務の履行の結果として取得するものにすぎません。

　そうすると、保証すること、保証債務の履行と求償権の取得、そのうえで

の求償権の行使は、弁護士法72条、73条違反の問題は一切生じないように思えます。

しかしながら、これを実質的に観察すると、保証債務の履行という代金支払をし、求償権という形で債権を買い受けた、ということもできます。

具体的数字を挙げて検討します。100万円の債権があったとして、これを保証料40万円で保証したとします。保証人は40万円を受け取りますが、不履行になった場合100万円を支払います。そうすると、100万円について求償権を取得します。この一連の流れは、債権額100万円と保証料40万円との差額60万円で100万円の債権を買い取った、ということができます。

このように、実質的（この判断基準の問題については、Ⅲ以降で検討します）に債権の買取りをして実行をしているとして、弁護士法73条に違反すると判断できる余地があります。

また、Q89のケースのように、保証人が主債務者に対して履行を促す、となると債権回収業ということで、やはり代理又はその他の法律事務として非弁行為の可能性が生じます。もちろん、最初に述べたとおり、弁護士法との関係では、保証をする行為そのもの、求償権の取得や行使は、それ自体が違法になるものではありません。あくまでも、実質的に判断して、という問題となります。

Ⅱ　弁護士法違反の現実的可能性

実際問題として、実質的に判断して弁護士法違反である、と判断されることがあり得るのでしょうか。

これについては、参考になる先例があります。

このケースは、消費者金融業者を吸収合併し、それにより貸金債権を承継し、承継した貸金債権を請求する行為が債権管理回収業に関する特別措置法（サービサー法）違反に問われたという事件です。

この事案で裁判例は「（貸金業者）の全株式を取得したのは、主として両社が保有する債権を取得するためであり、これは、債権を『他人から譲り受け』たことに当たるというべきである。」「全株式を取得したことにより、実

質的には両社の主たる財産である債権をも取得して、その管理及び回収ができるようになったところ、サービサー法2条2項後段が規定する『他人から譲り受け』という文言上、このような全株式の取得による方法で法人の保有する債権を実質的に取得することが除外されるとは解されない」（東京高判平成27・11・5判タ1425号251頁〔28241653〕、なお上告）として、株式の取得つまり企業買収がサービサー法上の債権の譲り受けに該当する場合があると判断しています。

　また、判断基準として「（サービサー法違反の）弊害は、債権譲渡の形式により債権を譲り受けた場合のみならず、上記のような全株式の取得による方法で法人が保有する債権を実質的に取得した場合にも同様に生じ得るものであるから、サービサー法の規制を及ぼすべき必要性は後者にも認められるといえる。仮に、後者が同法の規制の対象から外れるとすれば、同法の規制は、企業買収の形成さえとれば容易に潜脱できることになるのであって、このような事態をサービサー法が許容しているとは到底解されない。」として、一種の実質判断の形式をとっていることも重要です。

　前記裁判例はサービサー法違反の事例であり、弁護士法73条違反そのものではありませんが、同裁判例では、「サービサー法2条2項後段が継受する弁護士法73条の趣旨は、主として弁護士でない者が権利の譲渡を受けることによって、みだりに訴訟を誘発したり、紛議を助長したりするほか、同法72条本文の禁止を潜脱する行為をして、国民の法律生活上の利益に対する弊害が生ずることを防止することにある」として、弁護士法73条もサービサー法も規制の趣旨は同様であると判断しています。したがって、この解釈論は、そのまま弁護士法73条にも通用するといえます。

　そして、債権者の全株式を取得して支配権を取得することが債権の実質的譲渡であると理解できるのであれば、保証をして保証債務を履行して、求償権を取得する行為も、これと別異に解する理由はなく（むしろ、実際に自分自身が権利者になるわけですから、株式の取得の場合よりも、より債権譲渡に近いということがいえるでしょう）、やはり実質的な債権の譲り受けであり、弁護士法73条に違反する可能性が生じるというべきでしょう。

第4 具体的問題例

　仮に、保証からの求償権の行使が、一切弁護士法73条に違反しないということになれば、裁判例の言葉を借りれば、保証と求償という形式さえとれば弁護士法73条の規制を容易に潜脱できることになるのであって、このような事態を弁護士法が許容しているとは到底解されない、ということになります。

　もちろん、同裁判例は、サービサー法違反を認定するに当たって、問題の債権が事故債権（ここでは債務不履行状態にある、それが見込まれるなど、回収が困難である可能性のある債権、という意味で用います）であるということを認定していますので、債権を取得して実行さえすれば、直ちに弁護士法73条やサービサー法に違反するとまではいえません。そうすると、どのような事情、要素を重視するべきかが問題になります。この点については、次のⅢで検討をすることにします。

Ⅲ　保証が弁護士法73条に違反する場合の判断基準

　Ⅱで取り上げた裁判例によると、弁護士法73条（サービサー法）が防ごうとした弊害が生じるかどうかを重視しています。そして、ここにいう弊害とは「みだりに訴訟を誘発したり、紛議を助長したりするほか、同法72条本文の禁止を潜脱する行為をして、国民の法律生活上の利益に対する弊害が生ずる」としており、これは、第4−2(7)Q78で取り上げた最三小判平成14・1・22民集56巻1号123頁〔28070183〕が弁護士法73条において規定することと同様のことをいうもので、妥当な解釈であるといえます。

　この分野は、まだ裁判例も見当たらず、非常に難しい問題ですが、前記の裁判例、非弁規制の趣旨、目的などを基準に考えると、次の3要素を総合考慮するべきであるというのが、著者の見解です。

　①債権の紛争性・不履行リスクの高さ、②保証料の高さ、③事故債権の回収が主目的といえるかどうか、この3要素を満たす程度が大きければ大きいほど弁護士法73条に違反する可能性が高いといえます。以下、検討をしていくこととします。

① 　債権の紛争性・不履行リスクの高さ

裁判例のいうところの弁護士法73条の趣旨は、紛争の誘発助長を防ぐというものです。そうなりますと、債権の紛争性・回収困難などリスクの高さというのは考慮要素に入れるべきであるということになります。

この紛争性の程度については、そもそも事前の判断が困難です（第2-1(2)Q16～19参照）。ただし、債権保証については、業者も一定の類型に限定して募っているということが通常です。そうすると、その債権の種類が類型的に紛争性・リスクが高いかどうか、ということを検討することが適切です。

② 保証料の高さ

保証料というのは、業者が債務を保証するのに費やすであろうコストを基準に設定されます。不履行のリスクが高ければそれは上昇しますし、このことは①の判断要素にもなり得ます。

また、保証料が高いということは、その保証料の中に、不履行の場合の保証債務履行のコストのみならず、そのような可能性が生じた場合において、保証債務履行に先立ち、主債務者に履行を促すコストなどが含まれていると評価する余地も生じます。そうなると、弁護士法72条と趣旨が同様であり、かつ、同条の潜脱を防ぐという弁護士法73条の趣旨に鑑みれば、同条に違反する可能性が高い、ということになります。

さらに、主債務と比較して保証料が高いとなると、それは実質的に債権の買取りであると評価することができます。これについてはⅠで触れましたが、債権の金額－保証料の金額を買取代金とする債権買取りということができる余地が生じる、ということです。保証料が高い、つまり低い代金で買取りということになると、債権にそれしか価値がない、つまり、これは①と重なりますが、紛争性、不履行リスクが高い、と評価をするべきといえます。

③ 事故債権の回収が主目的といえるか

これも①と関連しますが、債務不履行という偶然の事故について保証をすることが目的であるのか、それとも、そもそも不履行の蓋然性が相当あることが前提であり、そのために保証をする、つまり事故債権になった後にこれを回収することが主目的といえるか、ということも考慮要素とするべきで

第4　具体的問題例

す。

　さらに、保証債務の履行つまり弁済のみならず、付加サービスとして、債権（契約）の交渉とか、条件設定、取決めなどについて助言をする、不履行が生じたり、生じそうになったとき、保証債務の履行に先立って、主債務者に督促する、あるいは債権者の相談に乗るなどが設定されているのであれば、事故債権の回収が主目的であるといえるでしょう。

　このあたりの認定は、付加サービスであれば、保証業者との契約次第ですが、他にも広告からも判断することができます。

　要するに、本来の、保証をして万が一の不履行が生じたときに保証債務を履行するか、そもそも、不履行が頻繁にあることが当然の前提であり、不履行が生じることを前提としてサービスメニューをそろえているのであれば、事故債権の回収が主目的であろうと推認ができる、ということです。

Ⅳ　Ⅲを前提にしての具体的な検討

　それでは、以上を前提に具体的に検討をしてみたいと思います。ここでは、家賃と養育費を例に挙げます。

　まず、家賃についていえば、①その金額については通常は紛争性がありません。双方が契約により合意をしており、もちろん、一部使用不可能であるとか、そういう紛争があるかもしれませんが、それは例外です。債権そのものについては、紛争性は低いといえます。また、不履行をすれば明渡しを求められるということになり、債務者としては、極力優先して弁済しようとします。そうなりますと、基本的にリスクも低いといえましょう。

　また、②家賃保証について、通常は1年間で1か月の家賃の数分の1から同額程度、つまりおおむね2％から8％程度の保証料が相場ですが、この程度であれば、不履行を当然の前提にしているとまではいえません。

　さらに、不履行時に、督促を代行するなどの付加サービスを付けているということも、なかなか考え難いです（オーナーからすれば、そんなことがあるのであれば、早く保証会社に代わりに弁済してほしいからです。この点は、債務を履行する義務を負担しない不動産管理会社とは事情が違います）。

216

したがって、家賃保証については、例えば危険な案件に限定し、保証料を高額にする、あるいは取立て・督促代行などの付加サービスを特に付けない限りは、弁護士法73条に違反するという例は考え難いでしょう。

次に、養育費について検討します。

まず、①養育費は、いわゆる養育費の算定表があるとはいえ、幅があるものであり、一意に決めることはできません。また、養育費の算定の基礎となる収入の算定についても争いがある場合があります。加えて、その後の収入変化の問題もあります。それだけではなく、養育費に関係する事件、つまり家事事件は、いわゆる高葛藤案件（当事者双方の対立、特に感情的な対立が顕著な事件）の典型です。十分な資力があるにもかかわらず、養育費を支払わない例もあり、養育費の支払の不履行は、社会問題となり、地方自治体が支援に乗り出す例も増えています。また、令和元年の民事執行法改正においては、財産開示手続のうち養育費債権については他の債権とは異なる特別の手当（勤務先の開示が認められる）がされています（民事執行法206条1項）。

このように養育費は、法的にも一意に金額を決めることが難しく、両当事者の対立も激しいことがあり、しかも不履行は社会問題となり、特別の立法手当がされるほどであって、紛争性、不履行のリスクが高い債権の典型といえます。

次に、②保証料の高さについてですが、家賃保証のように広く行われているものではなく、相場というものも観念し難い状況にあります。

しかしながら、①の事情からすると、事業として成り立たせるためには、相当高額な保証料を設定する必要があります。10％あるいは20％を超える金額になることも想定でき、そうなりますと、これは①の事情をさらに強く推認させ、また③も推認させる要素となるでしょう。

最後に③事故債権の回収を主目的にしているか、という点についてみると、既に履行がされている、あるいは不履行の事実がない状態での保証ということになれば、これは事故債権の回収が目的ではない、ということになるでしょう。一方で、不履行の状態の債権を保証するとか、保証業者が保証債務の履行のみならず、養育費義務者つまり主債務者への履行を促すとか、そ

ういう付加サービスも提供するのであれば、事故債権の回収が主目的であり、弁護士法73条に違反する可能性が上がるということになります。

　以上のとおり、家賃については弁護士法73条違反のリスクは低いが、養育費については高い、ということになります。もっとも、家賃であれば絶対に弁護士法73条に違反せず、養育費であれば絶対に違反する、というわけではなく、以上の判断基準によれば、類型的に弁護士法違反のリスクに高低がある、ということにすぎないことには留意をしてください。ですからもちろん、弁護士法73条に違反する家賃保証もあれば、それに違反しない養育費保証もあり得る、ということになります。

　加えて、弁護士法73条は違法性阻却があり得るというのが判例の考え（第4-2(7)Q78）です。ハイリスクな債権であっても、紛争の誘発などの弊害が考え難いケース、例えば、事業者同士の取引であってかつ、内部統制体制が整備されている大企業が当事者のケースでは、適法化の余地もあると考えます。

Ⅴ　非弁提携リスクにも注意

　以上は、あくまで企業側のリスクですが、弁護士がこのような企業から、依頼者の紹介を受けるなどすると問題が生じることがあります。

　すなわち、弁護士法27条は、弁護士法72条のみならず、73条に違反する者から事件の周旋を受けたり、名義を利用させることを禁じています。そうなりますと、このような業者が弁護士法73条に違反する場合、そこから事件の紹介を受けた弁護士は弁護士法27条違反となります。この弁護士法27条違反には、紹介料授受は要件となっていないことに注意が必要です。ですから、業者が弁護士は無料で紹介する、弁護士も紹介料を払わない、という事案でもそもそも弁護士法73条に違反している業者からの紹介である以上は、弁護士法27条違反となります。さらに同条違反は刑事罰（弁護士法77条1号）もあります。

　加えて、弁護士職務基本規程11条は、疑わしい者から紹介を受ける、利用をする行為まで禁じています（第2-2(2)Q26）。そうすると、保証事業が弁

護士法73条に違反すると断定できなくても、そうであると疑わしい事情があれば、やはり違反することになります。前記Ⅲの①②③を検討して、疑いが十分払拭できないのであれば、このような業者から事件の紹介を受けることは、有償無償を問わず、弁護士職務基本規程11条違反になる可能性が高いといえます。

Ⅵ 弁護士法72条違反の可能性

これまで弁護士法73条違反の可能性について検討してきましたが、弁護士法72条違反の問題も生じ得ます。

つまり、保証債務を履行して求償権を取得するのであれば、これは実質的譲渡であるとして弁護士法73条の問題になります。ただし、保証料を収受しながら、保証債務を履行せずに、督促を代行する場合は、債権の実質的な移転がないので、権利を依頼者の元にとどめつつ請求する、つまりは弁護士法72条の問題になります。

この問題については、第4-1(7)Q67の不動産管理会社のケースと同様に考えることができます。ただし、実際には、保証契約を締結した以上は、契約者はいつでも保証債務の履行を求めることができるので、「保証債務の履行をしないで主債務者に督促を続ける」という業務は、あまり想定し難いといえます。

Ⅶ まとめ

以上みてきたとおり、ハイリスクな債権の保証と保証債務の履行、そして求償については、弁護士法73条違反の可能性が高いといえます。

一方で、例えば養育費については、これを円滑に実現する社会的必要性が高いといえますので、その保証の社会的ニーズは高いといえるでしょう。だからといって、紛争性が高い、個人間の債権であるということ、子どものための債権であり、そこから高額の保証料を収受することに正当性は見出し難いことからすると、安易に違法性阻却事由があると考えるべきではありません。

第4 具体的問題例

　ただし、社会的なニーズの高さに鑑みると、このあたりは、何らかの立法の手当（例えば、厳格な規制を付けたうえで、サービサーによる回収代行や買取りを認めるなど）、あるいは一定のガイドラインの設定が必要なのではないでしょうか。

3　自治体からの相談

3　自治体からの相談

(1)　自治体も非弁規制とは無縁ではない

> **Q90**　地方自治体は、何か非弁規制との関係で留意すべきことはあるのでしょうか。
>
> **Q91**　地方自治体の職員が、申請等に来た市民の相談に応じたり、指導をしたりすることは非弁行為になりませんか。

▼

> **A90**　昨今、地方自治体は、住民サービスの向上や、あるいは複雑化する社会情勢に対応するため、各士業に依頼して相談会をするほか、職員自らが相談に応じるなどのこともあり、法律相談すなわち非弁規制とは無縁ではありません。
>
> **A91**　非弁行為にはなりません。地方自治体つまり行政は、法律を解釈して執行することが任務であり、また、市民からの要請に応じて教示をして、適切に申請等が行えるように助力することも、法が当然に予定していると考えられるからです。ただし、行政サービスの範囲を超えて、一般的なトラブル等の事項について法律相談に応じることは、非弁行為になる可能性があります。

解説

I　地方自治体も非弁規制とは無縁ではない

　地方自治体も、企業や他士業の場合ほどではないとしても、非弁規制とは

221

無縁ではありません。

　昨今、社会の複雑化に伴い行政手続も難しく、それについて窓口で長時間の相談を受けることは日常的な光景となっています。

　また、市民サービスの向上を目的として、法律相談会を弁護士やその他士業に依頼して開催する、場合によっては法曹資格を有する職員に行わせることもあり得ます。

　行政手続、申請に関する問題というのは法律事件にほかならず、これについて相談することは法律相談にほかなりません。したがって、弁護士法72条とは全く無縁ではありません。

Ⅱ　地方自治体の職員が、その職務に基づき、行政手続等について相談に応じることに問題はない

　地方自治体の職員が、企業を含む市民からの相談・質問に答えて、行政手続一般や申請などについて教示をすることは、何ら弁護士法に違反するものではありません。

　ある意味当たり前のことなので、これについて正面から述べるような文献はもちろんありませんが、地方自治体は行政であり、行政機関の任務は法律の執行です。また、申請等の行政手続も、手続に来た一般市民への対応も、当然に予定されています。

　そうである以上、自らの任務に関する相談に応じる行為は地方自治体に認められているというべきであり、これに所属する職員が、実際に実行することも全く問題がないといえます。

　ただし、以上が適法化されるのは、あくまで、その地方自治体の任務の範囲内だからです。金銭の貸し借りや契約問題といった個別の私人間の事件について、（たとえ中立的な立場でも）これを援助したり相談に応じたりすることは、およそ地方自治体の任務を離れるというべきですから、この場合は別に非弁行為の問題が生じる可能性があります。

3　自治体からの相談

⑵　「無料相談会」を他士業等に依頼する際の問題

Q92　とある法律問題について、「無料相談会」を主催したいと考えています。依頼先は、弁護士以外の団体です。もちろん、市民からは相談料をとりませんが、その団体には「事業費」ということで報酬を支払う予定です。何か問題がありますか。

Q93　「事業費」などは支払わず、地方自治体との関係でも完全に無料、無報酬にして実施したいと思いますが、問題はあるでしょうか。

▼

A92　相談会のテーマが当該団体の業務範囲外の場合は、非弁行為に該当することになります。非弁行為を依頼する行為には罰則はありませんが、犯罪に当たる行為を地方自治体が依頼することには問題があります。

A93　法律上問題はありませんが、分野によっては問題になります。例えば、「○○士による××に関する無料相談会」と銘打った場合、この××が実際にその○○士が適法に行える業務範囲であれば問題ありません。ですが、そうでなかった場合、利用者である一般市民が「こういうタイトルで相談会を開催している以上は、○○士は、××に関する問題を取り扱えるのだろう」と職域について誤解をし、ひいては非弁行為の被害に遭う可能性があります。

223

第4　具体的問題例

解説

Ⅰ　「無料相談会」と非弁行為

　弁護士法72条は、その要件として、報酬を得る目的を要求しています（第2-1(1)Q13）。

　そうすると、無料相談会というのは、無料つまり報酬を得ることはないわけですから、この規制は問題にならないように思われます。

　ですが、ここでいう報酬を得る目的とは、相談者、利用者、依頼者から得ることに限定されておらず、広く、第三者から得る目的がある場合も含まれています。条文上、「依頼者から」報酬を得る目的、というように何らの限定もしていないからです。

　ですから、たとえ無料相談会であっても、地方自治体から事業費等の名目で報酬を受け取っていた場合、そのような相談会を開催して相談に応じる行為は、報酬を得る目的で法律事務を取り扱ったということになり、非弁行為になります。

　そのため、このような相談会を開催する場合、市民から費用を収受しない場合であっても、当該団体を構成する専門家が、相談会のテーマである問題にその業務範囲内で対応できるのか確認が必要でしょう。

　なお、非弁行為は違法であり犯罪行為ですが、原則としてこれを依頼した者、この場合は地方自治体について、何か犯罪が成立することはありませんし、直ちに法的責任を問われることはまれでしょう（第4-1(1)Q56。ただし、理論的には違法な支出として住民訴訟の問題は生じ得ます）。

　ただし、Ⅱで説明するように、相談した市民が非弁行為の被害に遭う可能性があります。

Ⅱ　「無料相談会」を無料で依頼した場合

　Q93のように、無料相談会を、地方自治体からの支出も一切なしで、無料で依頼して開催させた場合、その依頼先の団体についても非弁行為となることはありません。この場合は、報酬を得る目的がないからです（ただし、相

224

談会を通じて受任して報酬を得る目的があるはずであるという立論も可能でしょうが、多少無理のある解釈だと思われます）。

　もっとも、適法かどうかは別として、不適切であるという問題があります。

　そもそも、無料であるとはいえ、その分野について専門家ではない、つまり能力等の担保がない者らに対して、地方自治体が、市民へのサービス提供を依頼すること自体、市民に損害を与えかねない行為です。

　また、無料にしろ、有料にしろ、ある特定資格を持つ団体が、あるテーマについて相談会を行う場合は、それを見た一般市民をして、「この資格の人は、このテーマについての専門家なのだな」という印象を抱かせます。

　これが真実であればよいのですが、業務の範囲外であった場合、実際にはそのテーマについての専門家ではないのに、そのテーマについての専門家であるとの誤解を抱かせることになります。そうすると、将来、その専門家に、本来業務範囲ではないにもかかわらず、そのテーマの依頼をしてしまうということになり、非弁行為の被害に遭ってしまう可能性が生じることになります。

　将来的に、非弁行為という犯罪行為の被害に遭うかもしれない誤解を抱かせるという点で、たとえ弁護士法72条に違反しなくても、その士業の業務範囲外のテーマについて相談会を行わせることは不適切です。

⑶　自治体のインハウス弁護士が市民に法律相談をしてもよいのか

Q94　自治体のインハウス弁護士が、市民からの一般の法律相談に応じることは問題はないでしょうか。

Q95　弁護士登録をしていないのですが、弁護士登録をする資格を有する者、いわゆる「法曹有資格者」といわれる者について、Q94のような行為をさせることに問題はないでしょうか。

225

第4 具体的問題例

▼

A94　　問題ありません。インハウス弁護士であっても弁護士であって、そうであれば、法律相談はその業務範囲ということで自由に行えることだからです。

....

A95　　非弁行為となります。いわゆる法曹有資格者であっても、弁護士登録をしない限りは、法律上は、非弁護士として扱われます。また、たとえ、市民から相談料を徴収していないとしても、その非弁護士は、地方自治体から職員としての賃金を得ており、かつ、法律相談を職員の業務として行った以上は、業として、報酬を得る目的で、他人に関する法律事件に関する法律事務を取り扱ったということになるからです。

解説

I　自治体のインハウス弁護士と法律相談

　最近、自治体で勤務する弁護士が増えてきました。いろいろな狙いがあるようですが、職員の法律上の相談への対応、苦情対応、あるいは地方自治体が当事者になる訴訟の訴訟代理人など、幅広い分野での活躍が期待されているようです。

　ところで、内部で職員の相談に乗るのではなくて、外部の市民の相談に応じる、それも、行政とは関わりのない、交通事故とか家事といった私人間の紛争の相談に乗ることに問題はないのでしょうか（このような業務を期待して地方自治体が弁護士を職員として採用することがあるか少し疑問ですが、実例はあったようです）。

　そもそも弁護士法72条の規制は、非弁護士を対象としています。また、インハウス弁護士であるからといって、通常の弁護士より資格上劣位に扱われるということもあり得ません。弁護士であれば法律相談に応じることができ

る以上、Q94の場合でももちろん問題はありません。

　もっとも、相談料を市民から徴収してこれを地方自治体と分配すると弁護士法27条、弁護士職務基本規程11条、12条に違反します。

　また、地方自治体との利益相反や、守秘義務、さらには独立性の問題もありますが、これについては本書のテーマから外れますので詳細は割愛しますが、典型的には市税の滞納の相談、行政の対応に関する不服に関する相談に応じると、利益相反の問題が生じることになります。

Ⅱ　「法曹有資格者」が法律相談を実施する場合

　法曹有資格者というのは最近出てきた言葉であり、文言上は単に法曹資格を有する者という意味ですが、実際には、「弁護士に登録する資格があるがあえて登録せずに、けれども法律に関する仕事を主に組織内で行う、あるいはそのようにする希望のある人」という意味で使われているようです。

　弁護士会費をはじめ、弁護士であることのコスト（弁護士会費や倫理研修、公益活動義務、あるいは懲戒請求を受けた場合の対応等々）負担を回避するために活用が試みられています。

　さて、法曹有資格者が、地方自治体において法律相談に応じることは非弁行為に該当し許されません。

　まず、資格との関係でいえば、弁護士となる資格があっても、弁護士登録をしていない場合は、非弁護士であることに変わりはありません。そうである以上、弁護士法72条の適用を受けます。

　また、無料相談であったとしても、これは、市民から報酬を得ないというだけです。法曹有資格者である職員は、地方自治体から職員としての賃金を得ています。そして、その業務の一環として、法律相談に応じているわけですから、職員としての賃金は、法律相談という法律事務の報酬に当たります。そして、業務の一環として法律相談に応じている以上、その行為には報酬を得る目的があるといえます。

　したがって、非弁護士である「法曹有資格者」が職員として一般の法律相談に応じることは、同法72条に違反し非弁行為に該当します。

第4　具体的問題例

　もちろん、市民への法律サービスの提供が非弁行為になるのは、それは他人の法律事件だからです。ですから、勤務先に対するアドバイスは非弁行為になりません。また、当然のことながら、所属する地方自治体の指定代理人になることも問題ありません。

4　他士業からの相談

4 他士業からの相談

⑴ 司法書士・行政書士の書類作成の意義

Q96　司法書士・行政書士から、書類作成業務について、どのような範囲で行えば非弁にならないか相談を受けました。どのように回答すべきでしょうか。

▼

A96　「書類の種類」と「作成の範囲」の2つから回答しましょう。前者については、各業法で定められている類型になります。後者については、第2－1⑸Ⅳが参考になりますが、要約すると、訴訟運営や意思疎通に支障を来さない程度に整序する範囲であれば問題ありません。

解説

Ⅰ　司法書士・行政書士の書類作成の範囲は、種類と関与の程度で判断する

　この問題については、第2－1⑸Q22で詳細に論じましたので、ここでは、相談の回答としてわかりやすい答え方を解説します。

　両資格とも、業務範囲についてはそれぞれ司法書士法、行政書士法に定めがあり、法律上は基本的には書類の作成が中心です（ただし、認定司法書士や特定行政書士の業務など、書面作成に限定されているわけではありません）。

　書面作成の業務範囲の判断については、基本的に、①書面の種類と、②作成への関与の程度の判断によります。

　①については、司法書士であれば司法書士法3条1項、行政書士であれば

229

行政書士法1条の2第1項、1条の3第1項に列挙されています。

　そして、既に第2-1⑸Q22で説明したように、これらに列挙されている書類について、書類作成名目であれば、無制限に事件に介入できるということはありません。その程度は、②の問題になりますが、要約すると訴訟運営や意思疎通に支障を来さない程度に整序する範囲ということになります。

Ⅱ　業法の範囲内なら事件性があろうがなかろうが上告事件でも取り扱える

　これは誤解されている方も多いのですが、Ⅰで述べるような範囲であれば、弁護士法72条ただし書の「別段の定め」に当たるので、本文の定めにかかわらず取り扱うことができます。事件性の有無等も問われません。

　さらに、特に誤解が多いのは、司法書士の裁判所提出の書類作成業務が簡易裁判所に限られないという点です。おそらくは、認定司法書士が簡裁代理を行えるようになったことで生じた誤解だと思われます。

　司法書士であれば、事件性の有無や審級を問わず、裁判所提出書類の作成が行えます。さらに民事刑事の別は問いません。これは、司法書士法3条1項4号は、民事手続に限定していないためです（さらに検察庁に提出する書類も含みます）。これらは、単にⅠ②の制限があるにすぎず、認定司法書士であるかどうかも問いません。

	司法書士	認定司法書士
民事事件 簡易裁判所	整序する範囲で書類作成は可	代理を含め制限なし
民事事件 簡易裁判所以外	整序する範囲で書類作成は可	整序する範囲で書類作成は可
刑事事件 すべての裁判所	整序する範囲で書類作成は可	整序する範囲で書類作成は可

4　他士業からの相談

⑵　「非弁になる部分は無料で」の注意点

> **Q97**　他士業や会社等の非弁護士から、「無資格又は保有している
> 資格で行える業務を有料で、それ以外の弁護士法72条所定の
> 業務は無料（報酬目的なし）で行いたいが問題ないだろうか」
> と相談を受けましたが、問題ないでしょうか。

▼

> **A97**　理論的には問題ありません。弁護士法72条は、あくまで報酬
> 目的の法律事務取扱いを規制しているのであって、報酬目的が
> なければ違反しないからです。ただし、実際にこのケースで
> は、形式的に無料であると標榜していても、実質的に報酬目的
> があることがほとんどであり、Q97のケースも実際には同条に
> 違反する疑いが強いでしょう。法律事務に当たる部分が無料で
> あったとしても、他の部分は有料であり、しかも両者に結びつ
> きがあるか、あるいは有料部分の提供が無料部分の法律事務提
> 供の前提になっている場合がほとんどですので、結局は法律事
> 務部分についても報酬目的性が認められることになります。

解説

I　「法律事務部分は無料で」は理論的には問題ないけれど…

　「あくまで自分が保有する資格の範囲内で書類作成しかしていない、ある
いは、無資格でできる業務しかしていない、仮に弁護士法72条違反が成立す
る部分があるとしてもその部分は無料で行っている」というのは、非弁業者
がよく行う主張です。

　確かに、同条は報酬目的での法律事務取扱いを禁じているのであって、報
酬目的がなければ同条違反は成立しません。したがって、この主張は、理論

231

的には正しいということになります。

ですが、実際に、そのような主張どおりの事実関係であること、評価できることは極めてまれです。実際にそうであるケースはまず存在しません。

Ⅱ　結局、法律事務部分とそれ以外は一体である

本件のようなケースの場合、法律事務部分というのは、それ以外の部分のいわば、おまけ・サービスで行われています。

ですから、本体部分である法律事務以外の部分を依頼しなければ、法律事務の提供を受けることができないという関係にあるか、少なくとも、法律事務以外の部分の提供と関連性・結びつきがある、若しくは法律事務以外の依頼の程度で法律事務提供の程度も変化するという場合が通常です。

弁護士が依頼を受ける場合でも、法律事務以外の部分を取り扱うことは全く珍しいことではなく、両者は密接不可分となっています。両者を切り離して、別々にサービス提供を観念することは、実際には難しいでしょう。

さらに、既に解説しましたが、このようなケースでは、法律事務に当たらない部分、適法な部分の報酬請求権も発生しないとする裁判例があります（第4-1(3)Q58）。

結局、本件のように、わざわざ「法律事務部分は無料で」という主張が出てくるという事情であれば、逆に両者の一体性が推認できるのではないかと思われます。

(3)　理解を得るために必要なこと

> **Q98**　他士業、あるいは企業からの「自分が取り扱う業務は弁護士法72条に違反するか」という相談について、あまり慎重な意見をいうと事業が成立しませんし、理解を得ることも難しいと思います。何かコツなどありますでしょうか。

▼

4　他士業からの相談

| **A98** | この種の事件に限らないのですが（少なくとも適法性を問われる相談すべてにいえるでしょう）、あまり慎重な意見を述べると事業が成立しないでしょうし、だからといって適当なことを助言するわけにもいきません。他の種類の事件とも共通する、かなり一般的な答えになってしまいますが、違反が発覚・問題化した場合のリスクが大きいということ、また、違反をしない方法、すなわち対案を提供することで、理解を得ることに努めるべきであるということになります。 |

解説

I　業際問題は大変

　各士業の業務範囲、どの士業はどこまでできるのかといった線引きや境界線にまつわる問題一般を「業際問題」といいます。

　業際問題は、それぞれの士業の業務範囲を決めるものであって、各士業は重大な利害関係を持っています。弁護士もその利害関係人であることには間違いないのですから、この問題についてアドバイスをしても、なかなか直ちに理解を得ることは難しいかもしれません。

　また、純粋な意味での業際問題ではないですが、相談者が他士業ではなくて株式会社など企業であるときも、行おうとしている企業活動を直接に制限することになってしまうわけですから、「だめ」というだけでは理解は得にくいでしょう。

II　説得・説明のコツ

　以上は非弁問題に限定したことではありません。弁護士として、適法性について相談を受けた場合は必ず直面する問題です。ですから、そのような場合の相談技術が応用できます。要するに、①違反が発覚した場合のリスクが大きいことを説明する、②対案を提案する、ということになります。ここで

233

は、特に非弁問題の場合に使える内容を説明することにします。

Ⅲ　非弁行為発覚のリスクを説明する（①）

　まず、①ですが、非弁行為発覚のリスクは非常に大きいです。まず、裁判例は、一貫して非弁行為を依頼する委任契約は無効であり、報酬請求権も発生しないと判断しています（第4−1(1)Q56）。

　したがって、過払金返還請求ならぬ既払金返還請求訴訟の対象になったり、あるいは、報酬請求をしても支払ってもらえなかったりするという事業としては致命的な爆弾を抱えることになります。

　さらに、そのような紛争が発生し、しかも判決までいってしまった場合は、事業について非弁行為という公的な見解が示されることになり、事業継続そのものが危機に瀕することになります（余談ですが、非弁業者は、そのような廃業リスクを回避するため、報酬返還訴訟においては和解に応じる傾向が強いようです）。

Ⅳ　対案を提案する（②）

　次に、どのような対案を提案するべきかですが、他士業の場合であれば「意外とその業務範囲は広い」ということです。

　関与の程度について、相当な制限はありますが（第2−1(5)Ⅳ）、司法書士が作成できる裁判所提出書類は、審級・民事刑事の別を問いません。刑事についてはあまり想定できませんが、民事についていえば、例えば、依頼者がある程度理解している、既に内容が決まっている場合の民事執行の申立てなども想定できるでしょう。

　行政書士についても、「権利義務又は事実証明に関する書類」（行政書士法1条の2第1項）と幅広い設定がなされています（ただし、法律事務に当たるものは許されないとする裁判例がある（第2−3(3)Ⅱ）ので、注意が必要です。もっとも、同裁判例の解釈の合理性には疑いがあります）。

　また、そもそも、これだけ弁護士が増えた今日、あえて、非弁行為をする経済的・社会的必要性は低いといえます。他方で、司法書士・行政書士等、

4　他士業からの相談

他士業の本来業務について、他士業並みの知見を有する弁護士は珍しいでしょう。

　経済的に合理的な判断として、あえて非弁行為が疑われる業務を行うメリットは少ないのではないでしょうか。

⑷　司法書士の本人訴訟支援

Q99　司法書士が適法に本人訴訟支援を行ううえでの留意点を教えてください。

Q100　司法書士が適法に行える本人訴訟支援の範囲はどの程度でしょうか。

Q101　法的に専門的な助言は一切禁じられるのでしょうか。

Q102　送達場所を司法書士にするべきでしょうか。

▼

A99　この問題は分解して考える必要があります。①そもそも本人訴訟支援が適切か、②そうであるとして、適法な範囲で支援を行い、かつ、事前にその範囲について依頼者の了解を得る、ということです。

A100　事実関係について法的に整序をする、あるいは、一般市民が容易に想定できる（思いつく）ような証拠の提出を提案するなどについては問題はありません。

A101　いいえ。確かに依頼を受けた個別具体的な事件について専門的な助言を行うことは非弁行為になりかねません。ですが、具体的事件を離れた一般的な手続についての助言、あ

235

るいは、同種同類の事件について広く用いられている裁判例を教示することは、「法律事件に関して」とはいえませんので、問題はありません。

A102 それ自体が非弁行為に該当しかねませんし、それを別にしても、本体の本人訴訟支援について非弁行為の疑いを持たれることになりかねませんから、行うべきではありません。

解説

I　そもそも本人訴訟支援をしてもよいのか

本人訴訟支援について論じる前に、適法違法以前に、そもそも本人訴訟の適否について議論をする必要があります。本人訴訟自体が不適切であれば、支援をする業務もまた不適切であるからです。

多くの弁護士や裁判官が指摘するように、本人訴訟は多くの場合、その本人のためになりません。そもそも、弁護士ですら自分の事件は基本的に別の弁護士に依頼するわけですから、このことからも、本人訴訟のリスクが高いのは明らかでしょう。

本人訴訟自体が不適切であるというのであれば、司法書士は法律事務の専門家（司法書士法1条）として、これの支援を受任するべきではないでしょう。依頼者が希望することであっても、依頼者に損害を与えることにしかならない場合には、これを受任することは専門家として基本的にするべきではないからです。

著者としては、本人訴訟で「も」適切な事件はあり、本人訴訟支援には意味がある、と考えます。

II　本人訴訟で「も」適切な事件

A99①の問題として、本人訴訟でも適切な事件というのはあるのでしょうか。

基本的にこの判断は難しく、慎重であるべきです。一見して単純な事件、争いのない事件であっても、実際に訴訟が進行すると争いが出てくるとか、両当事者が意識をしていない事情で結論が左右されることもあるからです。

そこで慎重に考える必要はありますが、典型的には、両当事者が事実関係について争いのない家賃滞納による明渡請求訴訟、貸金返還請求訴訟、それらの保証債務履行請求訴訟などは、本人訴訟でも、特に被告側では、差し支えがないことが多いでしょう。

このような事件では、原告としては、単に債務名義を得ることが目的である場合がほとんどです。

このようなケースでは、以下に述べるような本人訴訟支援の限界、つまり法的整序の範囲内でも十分な支援になります。ですから、ついつい関与し過ぎて非弁であるという誹りを受けることもあまり考えにくいでしょう。

一方で依頼者からすれば、手続について1から自分で準備するより、本人訴訟支援を受けた方がスピーディーですし、それで十分ということになります。

Ⅲ　本人訴訟支援固有の需要

本人訴訟というと、弁護士・認定司法書士に依頼できないので、仕方がなくするといったイメージがあります。

もちろん、そういうケースも現実には存在します。

しかしながら実際には、弁護士に依頼する資力はあるし（仮にないのであれば法テラスが利用できます）、事案の性質上、弁護士に依頼が可能である（不当請求や弁護士費用で赤字になる案件ではない）にもかかわらず、本人訴訟を選ぶケースはそれなりにあります。

理由は様々ですが、一番多いのが自分でできると考えている、あるいは、経験を積みたい、自分の思いどおりにやってみたい、という考えが多いというのが実感です。

このような考えに対するニーズを満たすには、訴訟代理では困難です。また、そもそも訴訟代理をしたところで、代理人と本人との意向が対立した

り、代理人の方針に従わないリスクも高いでしょう。

こういうケースでは、訴訟代理で受任したところで、双方（依頼者と受任する弁護士や認定司法書士）にとって不幸な結果（依頼者と受任者との間のトラブル）しか生じないでしょう。

一方で、訴訟代理ほどではないですが、本人訴訟支援という形式であっても、一定の支援を本人訴訟の当事者が受けることができれば、訴訟はスムーズに進行し、依頼者のみならずその相手方、さらには裁判所にとってもメリットがあります。

よく、「本人訴訟支援では不十分だし、そもそも訴訟代理並みかそれ以上に手間がかかる」という批判があります。著者も、この指摘は大部分で正しいと考えます。しかし、ここでの問題は、訴訟代理か本人訴訟支援か、どちらを選ぶべきか、というものではありません。そもそも、訴訟代理を依頼するという選択肢がない、あるいはそれがあっても受任に支障があるケースで、ベターな選択肢として本人訴訟支援があるのではないか、という問題です。

Ⅳ　司法書士による本人訴訟支援の範囲の検討

次にA99②の問題について検討をすることにします。

これについては、「限界」の問題として第2-1⑸Q23で触れたとおりです。かなり長文になってしまうのですが、大事なところですので、再度裁判例を引用することにします。それによると「司法書士の業務は沿革的に見れば定型的書類の作成にあつた……制度として司法書士に対し弁護士のような専門的法律知識を期待しているのではなく、国民一般として持つべき法律知識が要求されていると解され、従つて上記の司法書士が行う法律的判断作用は、嘱託人の嘱託の趣旨内容を正確に法律的に表現し司法（訴訟）の運営に支障を来たさないという限度で、換言すれば法律常識的な知識に基く整序的な事項に限つて行われるべきもので、それ以上専門的な鑑定に属すべき事務に及んだり、代理その他の方法で他人間の法律関係に立ち入る如きは司法書士の業務範囲を越えたものといわなければならない」（高松高判昭和

54・6・11判時946号129頁〔27817580〕）と判断されています。

　本人訴訟支援との関係でのポイントは、「嘱託人の嘱託の趣旨内容を正確に法律的に表現し司法（訴訟）の運営に支障を来さないという限度で、換言すれば法律常識的な知識に基く整序的な事項に限つて行われるべき」とされている部分です。つまり、法的な整序の範囲と、そのための相談・助言の範囲であれば、本人訴訟支援が可能であるということです。

　これをもう少し実務的に検討すると、少なくとも依頼者の言い分に基づき、その内容を整理する、整理に当たって法的知識を用いる、ということは許されるといえるでしょう。

　一方で、法律構成を検討したり、別の訴訟物を提案したりすることは、その範囲を超える、ということがいえます。

　証拠の問題については、これはなかなか難しいのですが、例えば、お金を貸したのであれば、「借用書はないか、それがないのであれば振込明細は？」と尋ねて書面に盛り込むように助言することは、前記の裁判例の規範からも問題ないでしょう。一般市民が持つべき法律の常識からしても、こういう証拠が大事である、あるいは提出を検討するべきであるというのは優にいえることです。また、法的な鑑定に及んでいるともいえず、むしろ事実の問題について助言をしているにすぎないからです。

　先ほど、別の法律構成を提案する等については、法的整序の範囲を超える、という指摘をしましたが、これは「法的に専門的な話は一切できない」ということを意味しません。

　確かに、個別の事件との関係で、その事件固有の、具体的な問題について法的に専門的な解説をすると、法的整序とそのための相談の範囲を超えるということになります。

　しかしながら、あくまでも専門的な助言つまり鑑定が問題になるのは、具体的な「法律事件」との間での問題です。

　ですから、個別の事件を離れて、一般的な課題について専門的な情報を提供する、助言をすることは決して禁じられるものではありません（大学の講義や専門書の出版が問題にならないのと同じことです）。

第4　具体的問題例

　ですから、例えば、事実認定や証拠の評価、訴訟手続について、その事件固有のものではない一般論を解説することには、何ら問題ありません。主張書面と書証の区別とか、控訴期限とか、あるいは、事案を離れて有用な（かつ頻出の）裁判例を紹介することも問題はありません。

　例えば、Ⅱで本人訴訟もあり得るとした建物明渡しの事例ですと、賃借人が建物賃貸借契約の解除の意思表示を記載した内容証明郵便を受領しない場合でも、解除の意思表示は到達したと評価される可能性が高いこと（最一小判平成10・6・11判タ979号87頁〔28031248〕）や、念のため訴状に解除の意思表示を改めて記載するべきこと、その効果について教示する程度は、特定事件を前提としない情報提供であり、非弁の問題は生じないでしょう。あるいは、よく利用している書式を提供する程度も（書式の提供を装って新たに作成した書面を提供するなどでない限りは）問題はないでしょう。

　要するに、あくまで、個別事件の関係では、事情を整理し、通常一般人が気がつくであろう証拠の提案を行うにとどめ、一方で事件を離れた一般論として、その事件類型で広く通用する手続・裁判例を教示するということです。

　その他、細かい注意点としては、送達場所の指定があります。これは、本人訴訟を行う司法書士に指定せず、あくまで依頼者本人とするべきでしょう。そもそも、この問題については、最近、本人訴訟支援を行う者への指定を認めない例が増えています。また、このようなことをすると印鑑を預かって本人の意向と独立して書面を作成して提出している、など明らかに違法な本人訴訟支援であると疑われる原因になりかねません。

　理論的にも、裁判関係文書の送達を受領するということは、訴訟上の代理に類似する行為であり、やはり、本人訴訟支援の範囲を超えるといわざるを得ません。

　本人の手間暇の削減にはつながりますが、一方で許されない、許されても非弁行為の疑いを招きかねませんので、避けることが無難でしょう。

　なお、書面作成者として司法書士名を加えることについては、そもそも司法書士法3条1項4号の業務として適法に行っているわけですから問題はあ

りません（むしろ、法律事務の専門家（司法書士法１条）としての職責を明らかにする観点からは、記載が望ましいでしょう）。

V　司法書士による本人訴訟支援の範囲のまとめ

前記の議論をまとめると、次のようなことがいえます。

① 　個別の事件との関係では、依頼者の言い分を法的に整理（法的整序）する範囲にとどめる。

② 　①について、一般人でも容易に想定できる証拠の提出について助言することは問題ない。

③ 　専門的、法的な助言であっても、個別事件を離れた手続等一般的なもの、一般的に同類の事件であれば用いられる裁判例等の知識を教示することは差し支えない。

④ 　③と同様、その事件類型で用いる書式を提供することも差し支えない。

⑤ 　逆に個別の事件について、法的に専門的な観点から主張を助言したり、訴訟物や請求の法的根拠について教示をしたり、法的に専門的な助言に及ぶことは許されない。

⑥ 　送達場所の指定を司法書士にすることは非弁行為の可能性が高く、そうでなくても本体の本人訴訟支援が非弁行為に該当するとの疑義を持たれかねないので避けるべきである。

このような制限があるということについては、実際に依頼や相談を受ける際に、よく依頼者に説明をしておくべきです。また、報酬のとり方についても、書面の作成料や相談時間に比例するなど、あくまで書面の作成の対価であり、訴訟進行や処理結果の対価であるかのような疑義を持たれないようにするべきです。

第4　具体的問題例

5　違反を見つけた場合の対応例

(1)　無効主張の検討

Q103　受任中の事件について、非弁業者が代理し、あるいは関与した合意が見つかりました。どのような点を検討し、何を決めるべきでしょうか。

Q104　無効主張の可否について、どのような事情、要素が検討材料になるでしょうか。

Q105　無効主張をすべきかどうかとはどういうことでしょうか。また、どのような基準で判断をすべきですか。

▼

A103　無効主張ができるかどうか、そして、すべきかどうか、それぞれを区別して検討をするべきです。

A104　無効主張の可否については、裁判例が重視する要素・傾向は定まっていません。ですが、その合意内容のみならず、合意に至った経緯、合意までに用いられた主張・手段、合意に当たって前提とされた事情、名義は本人か非弁業者か、合意内容についてどちらか一方に特に有利・不利はないかという点がポイントになると思われます。

A105　合意が無効になった場合、紛争が蒸し返されることになります。また、合意が依頼者にとって有利なものであった場合、無効主張により不利益を被ることになります。その場合

242

は、無効主張には慎重にならざるを得ないでしょう。逆に、無効主張をしない場合は、相手方から無効主張をされて、いつ紛争が蒸し返されるかわからないというリスクを負担します。ですから、無効主張が通りそうな可能性も考慮しなければなりません。場合によっては、再合意（第4-1(1)Q56参照）を目指すべきです。

解説

Ⅰ　非弁業者が関与した、代理した合意について検討すべきこと

　既に解説した（第2-1(1)Q14、第4-1(1)Q56）とおり、非弁業者が関与したり、代理したりした合意は、無効になる可能性があります。

　一方で、必ずしも無効になるというわけではなくて、「内容及び締結に至る経緯等に照らし、公序良俗違反の性質を帯びるに至るような特段の事情がない限り、無効とはならない」（最一小判平成29・7・24裁判所時報1680号1頁〔28252248〕。第2-1(1)Q14引用の判例）とも解されています（この判決を本項では「平成29年判決」ということにします）。

　そうなると、まずは、無効になるかどうかということを検討する必要があります。

　これについて、平成29年判決でいえば、有効であるか無効であるかの判断は、特段の事情の有無により決せられることになりますので、その正確な予測は困難です。おおむね、可能性が低いとか高いといった判断にならざるを得ません。

　次に無効になる見込みがあるとしても、これを実際に主張するのかという問題があります。無効というからには当然無効なわけですから、主張するまでもなく無効というのが理論的で法的な帰結ですが、実際問題として、主張をしなければ、事実上有効と扱われて事件が進むことになります。

　そうすると、果たして問題の合意が無効になることで、こちらの依頼者が得するかどうかということも考えなければいけません。

243

第4 具体的問題例

　一方で、無効になると損をすると判断したとしても、無効主張は相手方からすることも可能です。となると、予期せぬタイミングで主張をされて紛争を蒸し返されるというリスクを負担することになりますので、その点も考慮に入れる必要があります。無効になる可能性が高いのであれば、たとえ有利な合意であっても、早めに無効前提で行動をした方が傷が浅くて済むということも考えられます。

　このように、非弁行為により行われた合意の無効主張は、その合理性と可能性の両方から難しい判断が迫られることになります。

Ⅱ　無効主張ができるかどうかの判断基準

　繰り返しになりますが、平成29年判決は、「内容及び締結に至る経緯等に照らし、公序良俗違反の性質を帯びるに至るような特段の事情がない限り、無効とはならない」と判断しています。ここからわかることは、原則は有効であること、特段の事情がなければ無効にならないこと、その特段の事情の有無というのは、「内容及び締結に至る経緯等」を考慮するということです。

　「内容及び締結に至る経緯等」とありますが、これらについてどのような事情があれば無効に傾くのかについて、判例は「公序良俗違反の性質を帯びるに至るような」と抽象的に述べるだけであって、具体的な基準が明らかではありません。

　もっとも、過去の判例では弁護士法72条は「当事者その他の関係人らの利益をそこね、法律生活の公正かつ円滑ないとなみを妨げ、ひいては法律秩序を害することになるので、同条は、かかる行為を禁圧するために設けられた」（最大判昭和46・7・14刑集25巻5号690頁〔24005136〕）と判示されています（第1-1(1)Q1参照。なお、この判決を本項では「昭和46年判決」といいます）。

　平成29年判決は、同条に違反しているからといって直ちに合意が無効になるわけではないという判例ですから、この判例にいう「特段の事情」の考察に当たって同条の趣旨を参考にすることは、論理的ではないかもしれません。ですが、平成29年判決は、同条の立法趣旨も踏まえて無効になる場合も

あり得ることを示したともいえますので、立法趣旨を参考にすることは矛盾しないと考えられます。また、昭和46年判決で判示された同条の立法趣旨は、同条違反行為がもたらすであろう弊害を列挙していますから、参考にする価値があると思われます。

Ⅲ　無効主張の可否の判断要素

　以上の考察を踏まえ、平成29年判決にいうところの「特段の事情」の判断要素を、「締結に至る経緯」と「内容」それぞれについて検討することにします。

　まず、「締結に至る経緯」については、交渉方法に偽計や脅迫、あるいはそれに類するような手段が用いられていないかを重視すべきです。例えば、勤務先や自宅に押しかける、待ち伏せるという手法は非弁業者がしばしば行う方法ですが、このような行為は、まさに昭和46年判決にいう「法律生活の公正かつ円滑ないとなみを妨げ」る行為といえるからです。

　また、同様の視点から、非弁行為をした者の属性として、反社会的勢力である、大規模である、回数が多いなども特段の事情の認定につながる要素でしょう。

　さらに、これもまた非弁業者で多いのですが、交渉に当たって間違った法律知識を用いる、特に相手方の判断を誤らせるような情報提供をした場合も「関係人らの利益をそこね」「法律秩序を害する」といえますので、特段の事情を肯定する方向に働くでしょう。

　次に内容について検討すると、取引に関する事項であれば、同種取引、事案との比較において、特に一方のために有利であるとか、不利であるという事情があれば、「関係人らの利益をそこね」るといえるので、やはり特段の事情を肯定する方向に働くと思われます。加えて、合意に当たって考慮又は盛り込まれた事項に不足がある場合、重要な事情を看過し、本来すべき重要な合意事項が不足しているという場合も「関係人らの利益をそこね」るといえ、特段の事情を肯定する方向に働くことになるでしょう。

第4　具体的問題例

Ⅳ　無効主張の「是非」の判断

さて、無効主張の可能性があるとしても、それだけで安易に無効主張をするべきではありません。

Ⅰで検討したように、依頼者にとってそれが有利か不利かについて、確実に結果を予想することは難しいので、相手方からの無効主張、蒸し返しのリスクも考慮すべきです。

具体的には、明らかに有効である、つまり無効主張が困難であれば（訴訟戦略の問題もありますが）、基本的には主張はしないことになるでしょう。一方、無効といえる特段の事情がありそうな事件（偽計や脅迫が用いられているなど）であれば、積極的に主張するべきです。依頼者にとって有利な合意であっても、相手方からの無効主張で蒸し返されるリスクは回避できないからです。

難しいのはその中間ですが、自己にとって有利であれば無効主張には消極的に、逆に不利であれば積極的に、ということになろうかと思われます。ただし、この判断は決して容易ではありません。その場合、リスク回避策としてはⅤのように再合意を目指す方法があります。

Ⅴ　リスク回避策としての再合意

第4-1(1)Ⅳでも少し触れましたが、無効となるリスクのある合意については、再合意を目指すことも方策として考えられます。

ただし、無効である（かもしれない）ことを知らないまま再合意をさせると、今度は再合意が錯誤で無効になる可能性もあります。相手方に代理人がいれば問題になることはないでしょうが、非弁行為の結果としての合意は弁護士が双方とも関与していないことがほとんどのはずですので注意が必要です。

そこで、再合意の場合は、無効になる可能性があること、有効にするために再合意をすること、合意の内容などを相談者に説明して、できれば書面等に残しておくべきです。

有効か無効かの判断が微妙なケースでは、リスク回避の手段として再合意

5　違反を見つけた場合の対応例

はとても有効です。

(2)　自分が非弁業者と関係を持ってしまった場合の対処方法

Q106　独立開業している弁護士なのですが、事務所をプロデュースする、出資してあげる、営業もやってあげる、お金の関係は心配ないようにするから任せてほしいなどといわれて、「広告・経営コンサルタント」を名乗る人物を事務所に参加させてしまいました。自分のやっていることがどうやら非弁提携であることを最近知りましたが、どうしたらよいでしょうか。このまま黙っていても見つからなければ大丈夫でしょうか。

▼

A106　すぐに弁護士会に相談をしてください。これは、「悪いことをしているなら素直に認めて話せ」という倫理的な問題だけではなくて、自分の依頼者と、自分自身を守るために大事なことです。早ければ早いほどよく、遅ければ遅いほど事態は悪化します。すぐに相談をするべきです。

解説

I　新型非弁提携は弁護士も食い物にする

　第1-2(1)Q8でも解説しましたが、最近流行の非弁提携は、「新型非弁提携」といわれ、1事件いくら・何割等といって報酬分配をするものではありません。代わりに、法律事務所内部に寄生し、実質的に法律事務所を所有・経営して、諸経費に「紹介料」「報酬分配」を入れ込むという手口が用いられています。

　この種の手口の特徴は、新人若手弁護士が中心に餌食とされていること、

247

引っかかる弁護士が非弁提携であると気がつかないこともあること、そして、依頼者だけではなくて最後に弁護士自身すらも食い物にされるというところに特徴があります。

Ⅱ　新型非弁提携が破滅につながる理由

　新型非弁提携は、会計上莫大な債務を発生させますが、実際に請求をしないので、キャッシュフローは大丈夫という状態が続きます。それどころか、「保障」ということで非弁提携業者から生活費を「手渡し」される（もちろん、水増しされた経費から支出されたものであり、実質はたこ足配当です）ので、当初は弁護士は普通に生活ができます。会計は非弁提携業者に任せているので、危機的状況に気がつくことはありません。

　しかし、実際には債務は膨大な金額に膨れ上がっており、また、事件を任された非弁提携業者のずさんな処理や預り金の経費流用が行われていきます。それによって、弁護士会に苦情が多く寄せられ、最終的に事件が明るみに出て破綻という経緯をたどるのが典型です。

Ⅲ　早期の関係断絶が依頼者と自分を救う

　新型非弁提携は、経費や横領の被害弁償という形式で、弁護士が莫大な債務を負担します。これは、次々と積み重なっていくものであり、時間とともに増大します。

　ですから、早い段階で関係を断絶することができれば、そこまで「債務」が膨らむ前ということで、破綻・破産は回避できる可能性もあります。

　ひょっとしたら、昔の非弁提携は、弁護士と非弁提携業者が協働して一般市民を食い物にするということで、悪の「win‐win」関係だったのかもしれません。ですが、今はそうではありません。遅かれ早かれ、待っているのは破滅以外にありません。依頼者のためにも、そして自分のためにも、早くに相談をする、そして関係を断絶することが大事です。

(3) 弁護士会への情報提供

Q107 非弁業者、非弁提携業者を見つけたのですが、情報提供はどこにすればよいでしょうか。

▼

A107 基本的に、非弁業者等の所在地を管轄する弁護士会に情報提供をすべきです。ただし、弁護士会ごとに、非弁行為、非弁提携問題を扱う部署はまちまちですので、代表電話にかけて尋ねるとよいでしょう。もっとも、情報提供に当たっては、守秘義務にも配慮し、依頼者の同意を得るようにしてください。

解説

Ⅰ 非弁行為については弁護士会に情報提供を

新型非弁提携の流行、業際問題に弁護士の注目が集まっている今、どこの単位会も以前より積極的に非弁問題に取り組んでいるようです。

非弁行為にしろ非弁提携にしろ、弁護士の職域や独立性を侵すというだけではなくて、まさに判例がいうように、「法律生活の公正かつ円滑ないとなみを妨げ、ひいては法律秩序を害することになる」ので、情報提供をすることは大事なことです。

ただし、取り扱う委員会は弁護士会ごとに異なります。非弁行為と非弁提携行為を別々に取り扱っている場合もあります。自分が所属している単位会であればともかく、そうでない場合は、そのあたりの事情がわからないことも多いと思われます。そのような場合はひとまず代表電話にかければよいでしょう。

第4 具体的問題例

Ⅱ 守秘義務に注意を

　非弁行為に関する情報提供であっても、守秘義務に優先するというものではありません。

　したがって、依頼者の同意を得ることが必要な場合もあると思われますので注意が必要です。

　なお、弁護士の守秘義務は、依頼者に限定されないとの解釈もあります（弁護士法23条本文）ので、依頼者以外の第三者の秘密にも留意が必要です。

6 弁護士会の「負担金」と弁護士法72条の問題

> **Q108** 弁護士会によっては、弁護士会主催の法律相談から受任した事件や、国選弁護事件、破産管財事件について、一定割合の「負担金」を求めていますが、これは、弁護士法72条に違反しないのでしょうか。

▼

> **A108** 非常に難しい問題ですが、一定の要件の下に行われている限りで、弁護士法72条には違反せずに適法であると考えます。

解説

Ⅰ 「負担金」の問題の所在

本書では、これまで、弁護士が非弁護士と報酬を分配してはいけない、紹介料を受け取ってはいけない等の解説をしてきました。

ところで、単位会にもよりますが、弁護士会主催の法律相談会で受任した場合の報酬、国選弁護や管財人の報酬など、弁護士会が関与する一定のルートで受任した事件については、報酬の一部を弁護士会に納めるようなルールが一般に定められています。

このような定めについて、政策論的に考えるのであれば、現状の弁護士を取り巻く環境や地方の実情も踏まえて合理的である、不合理であるなど、様々な意見があることかと思われます。ただし、この点について、本書のテーマから離れるのでひとまず置くこととします。

まず、前提として、弁護士会は弁護士ではありません。弁護士法は弁護士会に法人格を付与しています（弁護士法31条２項）が、これを弁護士と同じ

251

第4 具体的問題例

く扱うなどの定めはなく、両者は区別されています。

そうすると、非弁護士が、弁護士から事件紹介の対価を受領しているのではないかとして非弁提携の疑いが生じる、これが「負担金」制度の問題点です。

Ⅱ 負担金はいかなる規制に違反する可能性があるか

具体的に検討をしていきます。

まず、負担金は、報酬が発生した場合に報酬に応じた金額を徴収されるので、弁護士職務基本規程12条の報酬分配に該当する可能性があります。また、国選にしろ法律相談会にしろ、弁護士会が広報や指名等に関与しており、それを理由（の1つ）として負担金を求めているとすれば、同規程13条1項の紹介料支払に該当する可能性もあるでしょう。

また、少なくとも、「（弁護士と依頼者との）間に介在し、両者間における委任関係成立のための便宜を図り、其の成立を容易ならしめる」（第2-1(1)Ⅴ参照）といえますので、弁護士会について弁護士法72条、弁護士について同法27条、そして弁護士職務基本規程11条違反ということにもなりそうです。

Ⅲ 負担金と会則の抵触について

Ⅱのうち、弁護士職務基本規程に違反するという点については、以下のとおりこれを適法とみる余地があります。

まず、弁護士職務基本規程12条についていえば、同条ただし書は、会則に定めがあれば、報酬分配が許容されると定められています。負担金は、会則又はそれに基づく会規に根拠をおくので、この点は問題ないといえます。

次に、同規程11条と13条については、そのような例外規定はありません。

ですが、同規程は、これへの違反が直ちに懲戒理由に当たるというものではありません（日本弁護士連合会弁護士倫理委員会編著『解説弁護士職務基本規程〈第3版〉』（2017年）内の「（初版）提案理由の骨子と制定経緯の概要」参照）。そして、所属単位会の会則ないし会規により定められ、義務付

252

けられた義務の履行である以上、同規程に実質的に違反しないか、少なくともその責任を問われることはないといえます。

一方で、弁護士法72条並びに27条は法律であり、日本弁護士連合会あるいは各単位弁護士会の会則や会規で左右できるものではありません。そして同法27条は同法72条違反の者との提携を禁じる規定ですので、実質的には、残る同法72条が問題になるということになります。

Ⅳ 負担金と弁護士法72条

弁護士法72条の各要件について検討するに、弁護士会は反復継続して国選弁護の配点や法律相談会を開催しているので、業としての要件に該当します。また、国選弁護や法律相談が、法律事件に関する法律事務ということは明らかなのでこの点も満たします。さらに、周旋に該当することはⅡで述べたとおりです。

次に、報酬目的性があるかどうかですが、事前に会規や会則を定めて負担金を徴収するという前提で、配点や名簿作成、相談会の開催等一定の関与を行っているわけですから、負担金は報酬であって、それを得る目的があるという可能性はあるでしょう（少なくとも、同様の行為を弁護士会以外が行った場合、報酬目的性が否定されることはあり得ないでしょう）。

Ⅴ 著者の見解

この問題については、たびたび議論をする弁護士がいましたが、特に判例はないようです（だからこそ議論があるわけですが）。

著者としては、「弁護士会が一定の事件について負担金を徴収する制度は、対象となる事件種類、弁護士会の関与の態様、その金額の態様から必要性かつ相当性がある場合には、弁護士法72条に違反しないか、少なくとも同条の報酬を得る目的を欠く」と考えます。

まず、弁護士会に関して、同法72条についてこのような例外的な解釈をする理由ですが、これは弁護士法に根拠を求めることができます。弁護士会は、弁護士法により設置が義務付けられた（同法32条）特殊な法人（同法31

条2項）であり、しかも弁護士は全員が加入を義務付けられています（同法47条）。また、弁護士会の会員は、全員が弁護士、弁護士法人、外国法事務弁護士、外国法事務弁護士法人、沖縄弁護士となっています。大多数は弁護士又は弁護士法人であるところ、これらの者は同法72条の適用を受けず、法律上は法律事務の周旋を営むことができます（法律上、弁護士は法律事務の周旋業が営めることについて第2−1(1)Q15参照）。

さらに、弁護士会は、「弁護士及び弁護士法人の事務の改善進歩を図る」ことが目的とされており（同法31条1項）、さらに会則においては「無資力者のためにする法律扶助」（同法33条2項9号）や「官公署その他に対する弁護士の推薦」（同項10号）を定めることが、法律上義務付けられています。

以上によれば、弁護士会は、法律事務の周旋業が行える弁護士の集合体であり、かつ、法律上も弁護士会が法律事務の周旋やそれに類する行為をすることが予定され、あるいは期待されているので、「負担金」制度は実質的には同法72条には違反しないか、あるいは法律上の義務を履行し、そのために必要な実費を徴収しているにすぎないので報酬目的を欠くものであると考えます。

もっとも、弁護士会は弁護士そのものではないため、同法72条の適用を受けるのが原則です。ですから、以上の法律の規定、趣旨に鑑み、許容されるといっても無制限に行えると解するべきではありません。具体的には、公的機関である弁護士会が関与する必要性がある分野であって、かつ、負担金の程度・金額が、弁護士会が関与する労力や経費と比べて大きく逸脱しないものであることが必要であると考えます。これを超えた場合、以上に述べた弁護士会の任務や公的性格から許容性を導くことができなくなりますので、同法72条違反の疑いが生じるというべきです。

より具体的には、国選弁護や法律扶助、あるいは弁護士過疎の地域や分野に関する事項については、弁護士会の公的な性格から関与の必要性も高いですし、それを実効あらしめるためにも負担金を徴収して活動の充実を図ることは相当といえます。破産管財人や国選弁護についても、名簿の管理や推薦、あるいは協議会の実施など、公的機関である裁判所や日本司法支援セン

ターとの緊密な協力関係が必要である以上、弁護士会が関与し、その労力や経費に見合う負担金を収受することは、実質的に同法72条に違反しないと考えます。

　以上は、もちろん弁護士法に種々の根拠を持つ存在である弁護士会についてのみ妥当する議論です。弁護士会以外が、以上のようなスキームで周旋業を行った場合は、当然同法72条に違反します。

　著者としては、この問題について、弁護士会は理論的な説明を会員にするべきではないか、と考えています。というのも、弁護士会と同様のことを非弁護士が行えば、それは刑事罰の対象になります。また、弁護士がそういう者から事件の紹介を受けても同様です。さらに弁護士だけの集まりの団体、社団法人を作って同じようなことをしても、弁護士だけの集まりであるとはいえ、団体・法人は非弁護士であることに変わりはないので非弁提携の問題が生じます。

　すなわち、弁護士会の行っている前記の事業は、重大で厳格な規制の例外であり、かつ、幅広く行われている行為です。また、弁護士にも負担金という経済的な負担を課しています。

　このような行為について詳細な説明が行われていないと、会員である弁護士は、同様の行為は弁護士会以外でもできるのではないかと誤解（法律専門家として、あってはならない誤解ですが）したり、そうでなくても一般市民の誤解を招く可能性があります。

　特に非弁業者の中には、公的団体のような名称を使って弁護士を紹介します、と標榜する例が多く、それらとの区別は市民にとっては難しいこともあり得ます。弁護士紹介というのは市民にとっての利便性が高い一方で、種々の弊害がある「劇薬」です。ですから弁護士会といえども、その取扱い、自分が行うことは「特例」であることを意識し、説明するべきではないか、と考えます。

第5

おわりに

第5　おわりに

 いまだに非弁行為・非弁提携が横行する理由

Q109 非弁行為や非弁提携は今でも流行しているのでしょうか。非弁行為についていえば、いまどき、反社会的勢力が紛争解決に乗り出すということは難しいと思います。非弁提携についても、過払金返還請求は下火になりましたし、「うまみ」があるとは到底思えないのですが。

▼

A109 非弁行為についていえば、詐欺事件や家事事件等について、報酬については弁護士は高いけれど自分たちは安い、親身になるとアピールする、インターネットを駆使する等のパターンが増えています。また、非弁提携についていえば、単にずさん処理で依頼者を食い物にするだけではなくて、弁護士も食い物にする、横領（流用）を組み合わせるなどで、まだまだ「うまみ」はあるようです。

解説

I　非弁行為のいまどき

非弁の話題になると、「いまどき…」とQ109のような話をされることがよくあります。

確かに、伝統的な事件屋が関与するという事案はかなり減ってきたと思われます。

ですが、代わりに増えているのは、ソフト非弁、近代的非弁、あるいはインターネット非弁ともいうべき業者です。これらの業者は、ときには他士業

の資格を悪用するなどして、弁護士は高いけれどもうちは安いし頼りになる、依頼者の立場にあった「カウンセリング」をするなどと標榜しています。非常にソフトでクリーンなイメージで、インターネット上で広く集客していることが特徴です。

Ⅱ　非弁行為が今でも流行るのは、国民の法律・法制度の信頼が影響している

これは著者の印象論ですが、何だかんだいっても、日本の社会には、法律に対する忠誠心というか、法的な概念・言葉に対する尊重の気持ちが強いと感じています。だからこそ、もっともらしい嘘の法律用語、概念をちりばめた架空請求や、特殊詐欺の被害者が後を絶たないのではないかと思われます。

非弁業者は、このような社会の法律への信頼を逆手にとり、「法的な何か」を前面に出すことで信頼感を醸し出し、一方で、弁護士は敷居が高い、あるいは頼れないと訴えることで集客に成功しているのではないでしょうか。

Ⅲ　非弁提携で稼ぐ「方法」

非弁提携についても、もはや過払金返還請求も下火であり、一時期ほど債務整理事件もないからうまみがないのではないかという指摘はよく受けるところです。

確かに、一時期のように非弁業者に集客や処理を丸投げして、過払金返還請求や債務整理事件をずさんに大量処理をするというスキームは、今ではなかなか成立しないでしょう。

しかしながら、既に新型非弁提携ということで解説した（第1-2(1)Q7～Q9）とおり、昨今は、ずさんな処理だけではなくて、依頼者のみならず弁護士をも食い物にして経費流用や過大債務を負担させる、横領を行うという手法で、利益を得ているのが現状です。

これらの手法は、弁護士も被害者になること、巧妙に「これは非弁提携ではない」と「説得」するという点が特徴です。

第5　おわりに

　新型非弁提携では、特に登録後間もない弁護士が陥るケースが非常に増え
ており、今日的な課題であると思われます。

2　非弁行為・非弁提携と弁護士

Q110　非弁行為や非弁提携について、弁護士としてはどのような姿勢・心構えで臨むべきでしょうか。

▼

A110　弁護士は、「社会秩序の維持及び法律制度の改善」にも努力しなければならない、とされています（弁護士法1条2項）。非弁行為は法律・法制度に対する信頼を悪用して行われる行為であり、この使命に鑑みれば、非弁行為の排除は弁護士の使命であるといえます。さらに、非弁提携は、弁護士に対する信頼を悪用するものであり、これを放置することは弁護士全体の信頼を揺るがしかねません。いずれに対しても、断固たる姿勢で臨むべきです。

解説

I　非弁行為は法制度の、非弁提携は弁護士全体への信頼を「換金」する業態

　第5-1 Q109で説明したように、非弁行為は法制度全般に対する信頼を、非弁提携は弁護士に対する信頼を逆手にとって行われています。これらの行為は、それぞれの信頼をまさに「換金」するものにほかなりません。

　法制度全般が、そして弁護士全体が信頼されるということは、弁護士業務を行ううえで必須の条件です。仮に法制度や弁護士への信頼が皆無であれば、弁護士は、相談者から秘密を明かして相談してもらえず、依頼もされず、あるいは相手方との交渉もできないということになってします。

　非弁行為や非弁提携は、もちろん「弁護士の縄張り問題」という側面も否定できませんが、それ以上に、法制度や弁護士制度の根幹に関わる問題であ

第5 おわりに

るといえます。

Ⅱ 非弁行為・非弁提携と弁護士の責任

　非弁提携は、私たち弁護士が応じなければ、絶対に成立しない「業態」です。ですから、弁護士の努力次第で、すぐにでも根絶することができるはずです。

　また、非弁行為についても、様々な分野・地域に法律サービスを行き渡らせ、さらに非弁行為については無効主張を常に検討し、安易に交渉に応じないなどを徹底していけば、いずれは根絶ができるはずです。少なくとも、社会に対して、非弁業者に依頼することにどのようなリスクがあるか、よく広報をすることは、弁護士（会）の責任であると思われます。

　さて、非弁行為にしろ非弁提携にしろ、これらは、一種の信頼を換金していくことに本質があると思います。換金できるということは、法制度や弁護士全体に信頼があるということにほかなりません。

　非弁行為・非弁提携の根絶への努力は、その信頼に応えることにほかならないのではないでしょうか。

著者プロフィール

深澤　諭史（ふかざわ・さとし）

　昭和58年山梨県甲府市生まれ。平成18年明治大学法学部卒業、平成21年東京大学法科大学院修了。平成22年司法修習修了、同年弁護士登録（第二東京弁護士会）。平成25年、服部啓法律事務所に参画。現在、第二東京弁護士会非弁護士取締委員会委員、同会弁護士業務センター副委員長等。インターネットやシステム開発に関する法律問題のほか、刑事事件などを主に取り扱う。弁護士会では、非弁問題や弁護士広告問題に取り組んでいる。

　著書に『その「つぶやき」は犯罪です』（共著、新潮社、2014年）、『弁護士　独立・経営の不安解消Ｑ＆Ａ』（共著、第一法規、2016年）、『インターネット権利侵害 削除請求・発信者情報開示請求"後"の法的対応Ｑ＆Ａ』（第一法規、2020年）、『まんが 弁護士が教えるウソを見抜く方法』（宝島社、2020年）など。

サービス・インフォメーション

━━━━ 通話無料 ━━━━

①商品に関するご照会・お申込みのご依頼
　　　　　TEL 0120 (203) 694／FAX 0120 (302) 640

②ご住所・ご名義等各種変更のご連絡
　　　　　TEL 0120 (203) 696／FAX 0120 (202) 974

③請求・お支払いに関するご照会・ご要望
　　　　　TEL 0120 (203) 695／FAX 0120 (202) 973

●フリーダイヤル（TEL）の受付時間は、土・日・祝日を除く
　9：00〜17：30です。
●FAXは24時間受け付けておりますので、あわせてご利用ください。

改訂版　これって非弁提携？　弁護士のための非弁対策Ｑ＆Ａ

2018年1月30日　初版発行

2020年12月25日　改訂版発行

著　者　　深　澤　諭　史

発行者　　田　中　英　弥

発行所　　第一法規株式会社
　　　　　〒107-8560　東京都港区南青山2-11-17
　　　　　ホームページ　https://www.daiichihoki.co.jp/

装　丁　　篠　　　隆　二

非弁対策ＱＡ改　ISBN978-4-474-07239-8　C3032 (7)